考えない練習

小池龍之介

小学館

考えない練習

はじめに

私たちが失敗する原因はすべて、余計な考えごと、とりわけネガティブな考えごとです。

「さあ頑張ろう」と決めたはずが、心が勝手に「でも失敗したら嫌だしメンドクサイからやーめた」と考え始めてしまったり。忘れたい出来事を心が勝手に「ああ、今日は嫌な一日だったなあ」と何度も考えてしまったり。あるいは一〇分休憩するつもりが、心が勝手に「このまま一時間さぼっちゃおうかな」と考え始めたり。

こうして並べてみるだけでも、いかに私たちの意識が行う思考というものが不自由で、私たち自身の足を引っ張るものであるかがわかることでしょう。考えに邪魔されて、思い通りに生きられなくなるのです。裏を返しますと、心の内で勝手にピコピコと動き続けて私たちを支配する「思考」さえストップできるようになると、自らの心を思った通りに操縦しやすくなります。

問題は、心はひたすら「より強い刺激を求めて暴走する」という特徴を持っていることです。淡くて穏やかな幸福感よりもネガティブな考えごとのほうがはるかに強い刺激の電気ショックを脳に与えてくれますから、なかなかストップすることができません。

近年はむやみに「脳」というものを祭り上げてありがたがる風潮があります。けれども、脳という情報処理装置は、自分の大好きな刺激を得るためなら私たちが苦しんでもお構いなく考え続ける、ヤクザな物体なのです。

しかし問題は、考えるのをストップしようとしてすら「さあ考えるのをやめよう」「あれ？ 考えてしまっているじゃないか」「やれやれうまくいかないな」「そういえば昨日、料理もうまくいかなかった」「そろそろお腹《なか》が空いてきたな」といった具合に、ピコピコと脳内のお喋《しゃべ》りは止まらず連鎖し続けることでしょう。こういった、心を疲れさせるだけの情報のノイズが次々にあらわれるのをストップできない、と気づいて初めて、いかに普段、思考の流れに無自覚だったかがわかることでしょう。止めようと思っても止められない、という時、思考は私たちの「自由」に動いていないということに気づく。

しかし、「そっか、考えないのが良いのか」と考えてみても、更に思考が増えるだけで考えは止まってくれません。頭でわかったつもりになるのでなく、実際に止めてみようと練習することによって、初めて思考を調教することも叶うのです。

本書で提案するその調教法とは、五感を研ぎ澄ませて実感を強めることにより、思考というヴァーチャルなものを乗り越える手だてです。目・耳・鼻・舌・身の五感に集中しながら暮らす練習を経て、さらには思考を自由に操る練習を始めてまいりましょう。

ふだんは、思考を操れずに多くのことを「考えすぎる」せいで、思考そのものが混乱して、鈍ったものになってしまいがちなのです。考えすぎで思考を錆び付かせるのはやめて、「考えない練習」の時間という充電をすること。

その充電を終えた後におこなわれる「思考」はどこまでもクリアに冴えわたった、ひらめきに満ちたものになることでしょう。

目次

はじめに　3

第1章　思考という病　考えることで、人は「無知」になる　13

「脳内ひきこもり」が集中力を低下させる　14
人間の三つの基本煩悩――「怒り」と「欲」と「迷い」　17
心を律し「正しく考える」ためのトレーニング　25
念のセンサーで常に心の防犯チェック　28
感覚に能動的になることで、心は充足する　30

第2章　身体と心の操り方　イライラや不安をなくす練習　35

1　話す　36

話し方の基礎は、自分の声音の観察から　38
「慢」の煩悩が、余計な口答えをさせている　41
ネガティブな思考を捨て去る練習　43
謝罪の際には具体的な改善策を述べる　45
自分のための言い訳は、相手の苦しみを増すだけ　48
誠実な言い訳で相手の苦をケアしてあげる　51
脳が錯覚する、短期的な利害と長期的な利害　53
悪口は結果的に自分の心を汚す　55
嘘を積み重ねると、頭が悪くなる!?　58
無駄話を他人に押しつけない　59
現代日本に蔓延する「ありがとう病」は心を歪ませる　61

感謝も、メリハリとバリエーションが必要 63
コラム1 呼吸する 66

2 聞く 68

音に「洗脳」されないように、自覚的であること 69
「諸行無常を聞く練習」で意識を鋭敏化させる 71
世界に耳を澄ませば、世界が変わる 75
相手の苦の音を観察することがコミュニケーションの基礎 77
批判された時は、相手の苦しみを探して余裕を持つ 81
心の情報操作を入り口で止める練習 84
コラム2 嗅ぐ 88

3 見る 90

刺激の強い視覚は煩悩を育てやすい　91
「私は苦しんでいるのに、相手は苦しんでいない」の誤解　93
観察結果を自我にいちいちフィードバックしない　96
お釈迦様の半眼をマネして集中してみる　99
自分の表情にも常に自覚的であること　101
コラム3　笑う　104

4　書く／読む　108

「受け入れられたい」欲求がお金を生み出す　108
煩悩は、求めれば求めるほど増えるもの　114
匿名掲示板は無慚の心を増幅させる　117
メールでも、お互いの自我を刺激しない　120
書くことで、己の感情を見つめてみる　123
コラム4　計画する　126

5 食べる 130

「してはいけない」と思えば思うほどしたくなる脳の不思議 130

「足るを知る」訓練で自分の適量を知る 133

考えない食べ方レッスン前編 ひとつひとつの動作に鋭敏に意識を置く 134

考えない食べ方レッスン後編 舌の動きに留意する 135

コラム5 料理する 138

6 捨てる 140

失うのが怖いという概念が自分の負担を増す 141

ものを捨てないことが「無明」の領域を育てている 144

執着からの脱出のために――「捨てる」訓練 148

自我肥大させるお金から自由になる 150

コラム6 買う 154

コラム7 待つ 156

7 触れる 158

集中力が途切れたら、触れている感覚に注意を向けてみる 158
「痒いから掻く」の暴走を止めてみる 161

コラム8 休む／遊ぶ／逃避する 166

8 育てる 168

「あなたのため」のアドバイス攻撃をしない 170
「自分の意見を押しつけたい」欲に操られない 173
同情や心配はほどほどにセーブする 174
激しい感情ではなく、淡い慈悲を育てる 177
ルールを守らないと、心がマイナスを引き寄せる 179

親の操り人形にせず、子どもを受容する育て方　182
男女間も「説得」によって愛を育てる　186
「降伏」する人が鍵を握る　188
コラム9　眠る　192
第3章　対談　池谷裕二×小池龍之介
僧侶が脳研究者に聞いた「脳と心の不思議な関係」　197
「身体と心の操り方」早見表　222

第1章 思考という病

考えることで、人は「無知」になる

「脳内ひきこもり」が集中力を低下させる

私たち人間は四六時中、考えごとをしています。一般的に、考えること、思考することは人間の立派な特質であると思われているでしょうし、「人間は動物と違って考える。だから偉い」と思っている方は多いでしょう。しかし、本当にそうでしょうか。

私はむしろ、考えるせいで、人の集中力が低下したり、イライラしたり、迷ったりしているのではないかと思っています。いわば、「思考病」とでも申せましょうか。

本章ではまず、この「思考病」というものについて、考えてみたいと思います。

よく、現代人は他人の話を聞くことが苦手になっている、などと言われます。自分の話を聞いてもらいたい時に、相手が全然聞いていなくて腹が立ったという経験があるかもしれません。けれど、相手は本当に聞く気がなかったのでしょうか。

おそらく、わざわざ会おうと言って一緒に話をしているわけですから、最初から「キミの話なんて聞きたくない」という感じではなかったはずです。初期設定としては「聞こう」という気持ちを持っていたはずです。

けれど、いざその悩み相談が始まってみると、その人は心の中でいろいろ余計なことを考えてしまうのです。聞いてあげることで相手の信頼を得たいとか、理解してあげるふりをして素敵《すてき》な人と思われたいとか、邪《よこしま》なことを考えているかもしれません。そんなふうに相手のことを考えていられればまだ良いほうですが、「ビールが飲みたい」「次のお店はどこにしよう」などと、他のことに気が散り始めてしまうのです。

私は普段、座禅で自分の意識の流れを長時間、じーーーっと見つめ続けているのですが、そうすると、心がものすごいスピードで動き続けていることがわかります。心がほんの細切れ単位の超高速で移動し情報処理をして、ほんの細切れの瞬間に、身体の中のある場所、たとえば視神経という場所に行って「見る」という行為をするのです。あるいは聴覚に行って「聞く」という行為をするのです。

ほんの一瞬のあいだに、「聞く→見る→聞く→考える→聞く→見る→聞く……」といったような情報処理が行われています。「聞く」ことだけをしているつもりでも、そのすきまには、人それぞれ膨大な量の、無関係な情報が混ざっているのです。

目の前の方の話をぼんやりと聞いている人は、本人は「聞く」という行為をずっと行っているつもりなのですが、そのあいだに、実は大量の細かい「ノイズ」が入っています。コマ切れ程度の超短時間に、心の情報処理の中には、自分が好きな飲食物のイメージがチラッと混ざったり、誰かに言われた嫌なセリフが残響してチラッと混ざったり、夢の中で見るようなヘンテコなイメージがチラッと混ざったりしているのです。本人も気づかない速度でこれらのノイズが入った瞬間、聞く行為が途切れます。細かい一瞬一瞬、大量のノイズが混ざることで、私たちの「集中」は、途切れ続けています。

そして、他の行為より最もパワーが割《さ》かれる行為が「考える」ことと申せましょう。意識は、言葉を用いてブツブツと思考している時「考える」という機能の中に閉じこもっていて、他の機能のことをとりあえず忘れてしまいます。

考えごとが脳内にうずまいている時ほど、音の情報が入ってくる度合いが少ないはずです。いまどんな音が流れていて、それがどんな意味を持っているのか。それがわからないのは、無意識下で「考える」ことに多くのエネルギーを割いているからです。

人は、落ち着いている時には、あまりあれこれと考えません。混乱している時ほど、考える量や時間が増えてしまいます。

たとえば、映画を観《み》ながら何か気になっていることがあれば、映画を観るという行為に対して「ノイズ」が入る度合いが強くなっていきます。

恋人や長年連れ添った配偶者と手をつないで歩いている時、そこには必ず身体感覚が発生して「つないでいる」触感があるはずです。しかし、その瞬間に考えごとをしていたら、まったく実感がなくなり、気持ちは乗らないはずです。

一人は仕事のことを、もう一人は別の人のことを考えているかもしれません。その瞬間、二人は一緒にいて肌を触れ合っているのに、同じところにいないのです。二人とも脳内にひきこもっているからです。

人間の三つの基本煩悩――「怒り」と「欲」と「迷い」

しかし、実はこうしたことはほぼ必然的な流れとして、多くの方が陥るパターンです。二人が知り合ったばかりのころは、非常に新鮮です。具体的に申しますと、特に相手の視覚映像がフレッシュな時は、新しい刺激に対して心がワクワクします。ですから相手の髪型がちょっと変わったらすぐに気がつきますし、相手の表情がちょっとでも曇っていたら「つまらないのかな」と危惧《きぐ》して楽しい話題に転換しようとするのです。

しかし、そのうち相手の情報に慣れてきます。本当は、相手の顔だって非常なスピードで変化し続けているのですが、大ざっぱな意識で相手を見ていると、まるで変わっていないように見えるのです。

これが日常で言うところの「飽き」なのですが、同じタイプの情報がインプットされ続けると、「ずっと同じだなあ」「この刺激はもう良いや」という感じになってきて、他の刺激を求めたくなるのです。

そうなったとき、あからさまに他の異性に走る場合もありますが、多くの方は、脳の中の恋人に走ります。恋人といっても異性ではなく、脳の中の自分の好きなことや気になっていることに夢中に入れあげて考えてばかりになるのです。自分の脳の中に逃げ込んでしまって、相手に対する興味が薄れていきます。

この「飽き」のスピードが速い人と遅い人とがいます。「飽き」とは、仏道で言う「煩悩」と深く関わりを持っています。

ここで、煩悩とは何かを簡単に説明しておきましょう。

私たちは常に、目や耳、鼻、舌、身体そして意識を通じて、さまざまな情報を受け取っています。そうした刺激に反応する、心の衝動エネルギーのうち、大きなものが「心の三つの毒」であるところの**「欲」「怒り」「迷い」**です。

まず、目で見え、耳に聞こえる情報に対して「もっとほしい、もっとほしい」と求める心の衝動エネルギーのことを「欲」と呼びます。誰かに心にもないお世辞を言われて、舞い上がってしまっている時、「もっとほしいッ、もっとほしいッ」とばかりに、引き寄せようとする欲の煩悩エネルギーが活性化しているのです。

反対に、入ってくる情報に対して「受け入れたくない、見たくない、聞きたくない」と反発する心の衝動エネルギーのことを「怒り」と呼びます。他人から嫌味を言われて不愉快になった時、「こんな音は聞きたくないッ」と不愉快な対象を押しのけて排除しようとする怒りの煩悩エネルギーが活性化しているのです。

この場合、一口に怒りといっても、日常でいう怒りよりもはるかに意味の広いものです。「やる気がしない」というネガティブな思考も、誰かを「妬《ねた》む」のも、過去を

「後悔する」のも、そして「寂しい」のも「緊張する」のも根はひとつ、怒りの煩悩エネルギーを燃料として生じている衝動です。

少しでも反発の力が働いていたら、それは「怒り」です。こういった負の感情に流されるたびに、怒りの暗い煩悩エネルギーの総量が増幅され、ストレスの元になるばかりか、ネガティブ思考に陥りやすい人格が形成されることになります。

先ほど、心の情報処理のプロセスにはチラチラとノイズが混ざっていると申しました。では、どのような情報《データ》がノイズになるのかを考えてみましょう。強い「欲」ないし「怒り」の煩悩とともに刻み込まれた情報は、心が強い執着とともに何度も繰り返して残響します。

誰かが自分の悪口を言っているのを知ってしまい、心が「怒り」に染まりますと、強い刺激とともに「怒り」が刻み込まれることでしょう。しばらくのあいだ、「あんなこと言うなんてひどい」とか「がーん、他の人たちが真に受けて私のことを軽蔑《けいべつ》したらどうしよう」とか、苦しい思考が頭の中をクルクルとめぐります。同じ情報が何度も反復されるため、いわば心のメインメモリがそれに割かれて、他の大事なことができなくなります。

そうした「怒り」は、やがて、時間の経過とともに、少しずつ気にならなくなり忘れたつもりになることでしょう。しかし、一度、心に煩悩の力で刻み込まれた情報は、いつまでも潜在化しつつ、残ります。忘れたつもりになるプロセスとは、意識によってその情報が反復される頻度や時間が小さくなってゆくプロセスです。つまり、あまりにもコマ切れになりはっきりと意識化できなくなるだけのことであって、実際は心の流れに混ざって影響を与え続けます。

うっすらと残響し続ける「ひどい」とか「がーん、どうしよう」という思考は、あまりにも高速に生じては消えてゆきます。ですから、本人も「がーん」と考えているという自覚なしに、理由もわからないままに何となく不快になるのです。

こうした、無意識の――すなわち意識できないほどの短時間にあらわれては消える――思考が引き金となり、次々と新しい思考が連鎖して、私たちを考えさせているのです。たとえば、「がーん、どうしよう」という思考から連鎖し、「この仕事が失敗したらどうしよう」とか「もし失敗して、あの人からバカにされたらどうしよう」とか、思考が勝手に暴走し始めるかもしれません。

こうして心の中での独り言としての思考がぶつぶつと増殖すればするほどに、心のメインメモリは無駄な雑念に食いつくされてしまいます。ゆえに目の前の風景や人の表情をクリアに認識することもできなくなったり、自然の音や人の声をしっかり受け取れなくなったり、食べていても味わっているという実感が抜け落ちてしまい満足できなくなるなど、自分がしっかりと生きているという充足感が欠落してしまうのです。

充足感の欠落を、別の側面から分析してみれば、次のようにも申せましょう。「見たり聞いたり触れたりしている」つもりでも、実際には頭の中のノイズにメインメモリを奪われているため、フレッシュな情報が入ってきません。一秒のあいだ人の話を聞いていていても、そのうち〇・一秒は聞いていても、残り〇・九秒は、「相手が自分をどう思っているか」という思考や、過去のノイズが残響していて、五感が鈍り、ぼんやりとしているのです。

これを続けますと、一〇秒のうち九秒は実感が消え、六〇分のうち五四分は実感が抜け落ち……、やがて年を取ってから過去を振り返りますと、「なんだか数年があっという間に過ぎた気がするなあ」となることでしょう。思考という、現実そのものに直結しない妄想に耽《ふけ》った報いとして、実感がスカスカになり、幸福感が損われるのです。

多くの方が年を取るにつれ「最近は年月が早くすぎてゆきますからねえ」という話

をするようになる元凶は、現実の五感の情報《デ ー タ》を、過去から後生大事に蓄積してきた思考のノイズによってかき消してしまうことに他なりません。そしてノイズのほうが現実感覚に完全に勝利した時、人は呆けるのだと思われます。過去のデータのみに完全に支配され、新しい現実がまったく認識できなくなるため、自分の孫を見ても、自分の子どもと思い込んでしまい、それを修正できなくなったりするのです。

それらすべての大本《おおもと》は、「目の前の現実はフッウすぎてツマラナイ、ネガティブな考えごとは刺激的」ということ。新たな刺激を心に与えるために、思考はネガティブな方向へと暴走してゆくようにプログラムされているのです。この「思考病」、思考という病にかかりながら、少しずつ知らず知らずのうちに「無知」になり、呆けていっているということ。それを知れば、おいそれと心の中で無駄なお喋《しゃべ》りをぶつぶつ続けていられなくなることでしょう。

そして、先ほど出てまいりましたように、目の前のことに飽きて別の刺激を求めるようになる心の衝動エネルギーのことを「迷い」と呼びます。

相手が話をしているのに「こんなつまらないものは無視してしまえッ」とばかりに心がうろうろとさまよい、逃避し、結局は耳に何も入ってこない状態になってしまうのです。迷いの煩悩、それは「無知」の煩悩とも申します。

この場合の「無知」というのは、教養がないとか、頭が悪いということとは違います。いまこの瞬間に、自分の身体の中にどのように意識が働いているかとか、どのような思考がうずまいているかといったことを知らない、ということです。

考えている間は、エネルギーを「考える」ことに浪費している分、視覚も聴覚も触覚も鈍くなる性質があります。脳内であれこれと考えごとに耽《ふけ》りすぎるせいで、身体感覚がなおざりにされ、心と身体がちぐはぐになります。

脳の一部を酷使して考えれば考えるほど、人は身体や心の情報をちゃんとキャッチすることができず、「無知」になっていくのです。相手の表情の変化や声音の変化などをしっかりつかまえることができないから、いつもと同じ顔だ、ツマラナイ……と感じてしまう。

結局、頭だけで考えるほどに無駄な概念ばかりが積み重なり、リアルな現実や自分の意識の流れに対して無知になっていくのです。

「無知」の煩悩は、リアルな現実から脳内の考えごとへと心を逃避させてしまいます。

そして一度「考えるクセ」をつけてしまうと、考えるべきでない時にも、考え込むクセからいつまでたっても抜けられない、考えごとにひきこもりやすい性質になってしまいます。

心を律し「正しく考える」ためのトレーニング

これまで、「考える」せいで人は無知になる、ということを説明してまいりました。ただし当然のことながら、それは「考えてはいけない」ということではありません。仏道において「**八正道**《はっしょうどう》」と言われるものがあります。正しい生き方を実践するため、人に求められる八つの道のことで、大まかに次のようなステップがあります。

ステップ①——自己ルールを課し、ブレない芯《しん》を作る
正思惟《しょうしゆい》（思考内容を律す）
正語《しょうご》（言葉を律す）
正業《しょうごう》（行動を律す）
正命《しょうみょう》（生き方を律す）

ステップ②――集中力を養う
正定《しょうじょう》（集中する）
正精進《しょうしょうじん》（心を浄化する）
ステップ③――気づく
正念《しょうねん》（心のセンサーを磨く）
正見《しょうけん》（悟る）

このうち最初のステップとなるのが、「正思惟」つまり「正しい思考をする」「正しく考える」ということです。

その瞬間に考えるべきこと、たとえば皿洗いの時なら、どの順で皿を洗えば最も効率的で、水が無駄にならず、できるだけ洗剤を使わなくても良いかという必要最低限のことです。

しかし無駄な煩悩があると、皿洗いをしながら子どもが食べ残した皿を見て、「もっときれいに食べてくれれば良いのに。どうしていつもこうなのかしら」とイライラしてしまいます。けれど、ここでイライラするのは二重に意味のないことです。

まず、イライラと考えている間、その皿をきれいに洗うことや時間をかけずに洗うことが、おろそかになってしまいます。また、もしお子さんにきれいに食べてほしいと思うなら、イライラ怒っても効果はありません。それより平常心を保って丁寧にこう言うべきです。

「皆のご飯を作っている私は、きれいに食べてもらえなかったらとても残念な気持ちがするし、洗うのも嫌になってしまう。私も嫌な気持ちになりたくないし、お互い一緒に住んでいるのだから、私が嫌な気持ちになっているのを見たら、あなたも嫌でしょう。だから、ちゃんと食べてね」

同じように、恋人と仲よく過ごしたい時は、嫌な仕事のことは考えず、お互いが心地良く過ごすためにいま何ができるかを考えるほうが、その時に適したことです。

無駄なエネルギーを使わない思考、その時に最も適切な必要最低限のことだけを考えて、どうすれば無駄な思考や空回りする思考を排除できるか、さらには、どうすれば煩悩を克服できるかが、仏道のスタートであり、ゴールでもあるのです。

念のセンサーで常に心の防犯チェック

そのためのトレーニング法としてもっとも有効なのが仏道の瞑想法《めいそう》ですけれども、そうした機会のない方は、どうしたら良いのでしょうか。

いつの間にか考えごとに心が行っている、無駄なことを考えている、ということすら気づいていないと、当然、無駄な思考の克服はできません。まずは、いま自分の心が何をしているかを普段から見張るようにすることです。

「いま、自分の心は何をしているのかな、見ているのかな、聞いているのかな、においを嗅《か》いでいるのかな、あるいはそれらを忘れて考えているのかな」。防犯チェックのように、常にセンサーを張りめぐらせておきます。ときどき思い出してチェックしてみることです。

すると、やがて気づける時がきます。「あ、いまはこの人と一緒に楽しみたいと思っているのに、勝手に無駄なことを考えている」「雑念にとらわれている」と。

そう気がついたら、次のステップは「心を移動させる」もしくは「心の働きを変える」ことです。「考えて」しまっているなら「感じる」ほうに意識をぐーっと強めます。

いま相手に触れていたり、あるいはキスをしていたら、唇の感覚に心を移動させることができます。考える度合いより、実感する度合いを意図的にぐーっと増してあげますと、考えや雑念は、すっと静まりかえっていくわけです。

特殊な意識状態を作らなくても、ある程度、心のコントロールはできるのです。

初めの「気づく力」のことを、仏道では「**念力**」と申します。「念」とは、気づくパワー、つまり意識センサーのことです。それが細かくなればなるほど、敏感に、微細な変化に気づくことができるようになります。

それに気づいたあとに、「心の働きを変える」という二つ目の力のことを「**定力**《じょうりき》」と申します。これはすなわち「集中力」です。集中して意識をコントロールして、ぐっとつかまえて、ひとつの場所に集める。心が非常なスピードで散乱をしてあちこちに行ってしまうのを集めて、一か所にぐーっと定めることです。

まずできるだけ、普段から「いま自分は五感のうち、どれを使っているのか」ということに自覚的になることです。

感覚に能動的になることで、心は充足する

五感という言葉が出てまいりましたが、仏道では、**目・耳・鼻・舌・身**に加えて、**意**という六つの扉によって、外部からの刺激を認識するとされています。この「**六門**」と呼ばれる六つの門から情報が入ってくると、見えている、聞こえている、においがしている、味がしている、触れている、考えているという感覚を得ます。六門については巻末の二二二ページでも触れていますので、ご参照ください。そして、六門を通じて認識するものが「我」の正体、「これが自分だ」と私たちが認識しているものです。

私たちが、「いま自分は五感のうち、どれを使っているのか」に自覚的になるためには、これらの感覚を漫然と行うのではなく、能動的に行うことです。

「見えている」という受動的な状態と、積極的に「見る」という能動的な状態。
「聞こえている」という受動的な状態と、積極的に「聞く」という能動的な状態。
「においがする」という受動的な状態と、積極的に「嗅ぐ」という能動的な状態。
「味がする」という受動的な状態と、積極的に「味わう」という能動的な状態。

「感じている」という受動的な状態と、積極的に「感じる」という能動的な状態。

これらの違いを認識してみてください。

たとえば、いま目の前が全体的に「見えている」でしょう。いま、かりにその状態から、何か一点（大きなものより小さなもの）に焦点をあてじっと見つめ、視線を外さないでください。他に意識を分散させるのをやめて、ただそのものにぐっと集中してみましょう。

それが、「見えている」と「見る」の違いです。能動的に見ることによって、周囲のものがぼんやりと背景化してきます。そして、射抜くようにひとつのものを見ているあいだ、他の感覚は次第に静まっていきます。

しかし、まるで聞こえなくなるわけではなく、見ることに機軸を置きながら、聞くことも別の身体感覚を感じることもぼんやりとはできているでしょう。

あるいは、いま手や顔など露出している肌の感覚に集中して、そこに空気が触れている身体感覚を感じてみてください。

たとえば雨が降っていて、やや湿った肌寒い温度が感じられるかもしれません。その温度に対して考えることはやめ、感覚そのもの、刺激そのものの中に身を委《ゆだ》ねてみてください。それをしっかり感じとるように努めてみれば、どんな温度であろうと、案外心地良いものだなあと心が安らいでくるはずです。

さらに次は服の中の身体意識に集中してみましょう。するとと、先ほどとは温度が変わって感じられることでしょう。それはそれでまた気持ちの良いものです。これは快楽による気持ち良さではなく、情報処理を止めて感覚そのものの中にとどまっている、精神統一しているがゆえの心地良さです。

これが、「感じている」と「感じる」の違いです。

仏道的に言うと、「失念している状態」と「念が込められている状態」の違いです。

このように、「自分の感覚に対して能動的になる練習」を繰り返していくうち、考えごとのノイズに引きずられることなく、「いま、この瞬間」の情報をはっきりと認知して、心が充足感を覚えるようになってきます。

いままで漠然と何かを見ながら、何かを考えたり、いろいろな音を聞いたり、寒さを感じていたり……といった、多くのノイズに分散してしまっていた意識を、いま、なすべきことに絞って集中させるということもできるようになります。

日本人は昔から雨音や水音など自然の音を面白いもの、興味深いものとして認識する能力がありました。いまそこにあるものから趣を感じとることができました。

しかし、現代では、激しい刺激をつくり出し、強く求め続けるために、微細な刺激を楽しめなくなっています。

「聞こえている」を「聞く」に変え、「見えている」を「見る」に変えるように**五感を研ぎ澄ます練習**をしていきますと、一見つまらなそうなものにも充実を感じてきます。現実がつまらないからといって、脳をバリバリと刺激するような娯楽に逃避しなくても、いつもの日常を繊細な味わいをもって楽しめるようになるのです。

生活全般を見直しながら、五感に入力されてくるデータを読みとる意識のセンサーを磨くことによって、気がつくと、心からイライラや不安が消え、次第に性格が改善されてまいります。そして特別な強い刺激がなくても、いまここにあるもの、やりたいことではなく、いまやるべき仕事や勉強……などに集中できるようになってくるのです。

次章からは、「思考病」克服のための具体策——入念な話し方、聞き方、見方、ふるまい方など、日ごろの動作やコミュニケーション法を見つめ直してみましょう。心と体が調和されるだけでなく、自分の心を操っていたプログラムが解明されましたら、知らず知らずのうちにノイズの重荷をため込んでいた心が、軽くなっていくことでしょう。

第2章 身体と心の操り方

イライラや
不安をなくす練習

1　話す

私たちは普段、自由に、自分の言葉で話をしていると思われるかもしれません。

しかし第1章で記した「八正道《はっしょうどう》」の中に「正語《しょうご》」がありましたように、正しく話すことというのは、実はとても難しいことなのです。

たとえば目の前に大事な仕事相手があらわれたとします。それを見た瞬間に心に刺激が走り、「なんとかしなくちゃ」と思考が走り始めると、いてもたってもいられなくなることでしょう。そのように刺激された心に、相手を喜ばせることを口にして場を繕わなければ、という衝動がわいてくるまでに、〇・〇〇一秒もかからないことでしょう。

そしてとっさに、「雨が続いていて嫌ですね」「でも、その傘はとってても素敵ですね。

第2章
身体と心の操り方

1　話す

どこのブランドですか？」など、ぺらぺら言葉を発してしまうかもしれません。

別に雨が嫌いでもないのに、「雨は嫌なもの」という固定概念に流されて、思ってもいないことを言ってしまう。傘のデザインやブランド名にも興味などないのに、雨についての話の中で興味を持っているふりをして、おだててしまう。

その一瞬、無意識に「あれ、本当はそんなこと思っていないのに」と小さな欺瞞《ぎまん》を感じ、少しずつその嫌な思考が、ノイズとして無意識の領域にこびりつきますからストレスが蓄積します。それは、相手を見たことでインプットされた刺激に対して、脳が自動的に反応して勝手に思考が動いてしまっているからです。

また、たとえば自分が自慢話を披露している相手に、「すごいですね。とても興味深いです」などと笑顔で返された瞬間、相手の声がインプットされたことで心に「欲」の刺激が生じ、より早口に、より大きな声で、その自慢話を続けるはめになるかもしれません。

私たちは自由に考え、自由に話をしているつもりでも、そこにあるのは「刺激によるインプット」と、「思考が自動的に反応するアウトプット」だけなのです。

言葉の失敗は、この反射に対するコントロール法を知らないために生じています。

インプットされた刺激にどう対処するかを知りませんから、反射的に言葉を発してしまっているのです。「話している」というより、刺激によって「話させられている」。

このパターンを続ける限り、「あんなこと、言わなければ良かった……」と後悔し続けるはめになるのです。そんな脳の奴隷状態から抜け出して、自由で麗《うるわ》しい話し方ができるためにはどうしたらよいかを、具体的に考えてみましょう。

話し方の基礎は、自分の声音の観察から

まずは、基本となる声の出し方について検討してみましょう。自分の話を聞いてほしくてしようがない時、少しでも多くの情報量を会話に詰め込みたくなることでしょう。相手に認められたいという欲の煩悩が強ければ強いほど、大きな声で、たてつづけに話してしまうものです。

しかし皮肉にも、聞いてもらいたいから早口で大声で話しているのに、早口や大声であることによって、聞くほうはひどく不快な刺激をインプットされることになります。結果として、自慢話であれ、説得であれ、相手に怒りの煩悩を喚起してしまい、同

第2章
身体と心の操り方

1　話す

意は得られにくくなるでしょう。

反対に、ゆったりしたスピードで、穏やかな声量と高さで話をされると、誰もが落ち着いて耳を傾けることができます。まずは、相手に余計な苦しみや刺激を与えないように配慮することが、もともとの目的を達成するためにも役立ちます。

その方法として提案したいのは、話す時、常に自分自身の声に耳を傾けておくことです。自分ののどを響かせている音の刺激に意識を集中してみましょう。

誰もが自分の声は聞いていると言うでしょうけれど、それはぼんやり聞こえているだけです。話している最中は、相手の話を聞くことや自分が何を話すか、それが相手にどう思われるか……などを考えてばかりで自分の声は「ついで」にしか聞こえていません。

そのような思考から離れるべく意識的に、自分の声にフォーカスして聞くように努めますと、ずいぶん違って感じられることに気づくことでしょう。

ポイントは、無理して「ゆっくり話さなきゃ」とか、「穏やかに話さなきゃ」と考えて自分を追い詰めないことです。単に自分の声音に集中する意識ができてさえいれば良いのです。

その意識があれば、もし声が高くなりすぎたり、早くなりすぎていたら、心が自然に違和感に気づいてくれるでしょう。他人が早口で大声で話していたら嫌な気持ちがするのと同様、自分のことも客観的に観察していれば、必ず違和感に気づきます。

留守番電話などに録音された自分の声を聞いてみると、意外に早口であることや、声が甲高いことに驚く方も多いと思いますが、普段からそのように努めて客観的に観察しておけば、「いま早口になっている」とか「大声になっていて余計な刺激をまきちらしている」ことにハッと気がつき、自然にそのような話し方は抜け落ちて、穏やかな話し方になっていきます。

早口になっていると気づいたら、途中で一拍おくのも効果的です。自分の気持ちも落ち着きますし、聞いている側を休ませてあげることにもなります。人は過剰供給されるとほしくなくなり、希少価値が高いとほしくなりますから、タイミングを見ながら、少しもの足りないぐらいに供給するのも、結果として人を惹《ひ》きつける効果があるでしょう。

ブッダも経典の中で述べていますように、早からず、遅からず、高からず、低からず、明晰《めいせき》な話し方を心がけてまいりましょう。

第2章
身体と心の操り方

1 話す

「慢」の煩悩が、余計な口答えをさせている

誰でも余計な口答えをしてしまった経験はあるでしょう。他人に言われたことを無自覚的にインプットすることにより、いやーな刺激をビリビリッと生じさせると、その刺激から「反発シナサイ」と命令されて反射的に言葉が出てしまうのです。

ある時、上司に「ねえキミ、さすがにそろそろ、あの仕事にとりかかってくれないかなぁ」と言われたとしましょう。

この言葉が聴覚を刺激した瞬間、**「慢」の煩悩**にスイッチが入り、思考が暴走を始めます。

「慢」とは、良く思われたいといった自己の評価を気にし、プライドにしがみつく「欲」の煩悩のうちのひとつです。他人から良く見られたいという欲もありますが、それより深いのは、自分が自分の株価を下げたくないという自己イメージへの執着です。

「私は、わざわざ声をかけないとやらないに違いないと心配されている」

「忘れていたわけでもないし、ちゃんとやる予定でいたのに」

「私はそんなにできない人間ではない」

「この上司は、私のことを理解できていない愚か者であーっる」

言葉を聞いた瞬間にそうした思考が暴走し、反射的に上司に対してつい余計な一言を言ってしまったりするのです。

「ああ、すみません。でもあれは、来週の会議の結果を見てからまとめたほうが良い仕上がりになると思っていたのですけどね。いまやれと言うならやりますが」

「慢」の煩悩に操られているがゆえに、謝りながらも、「あなたがいますぐやれと言ったせいで、いまいち良い結果が出ないかもしれないけれど、それは全部あなたのせいだ」という否定的なニュアンスがうっすらと含まれてしまうのです。

冷静に考えれば、その仕事にいますぐとりかかろうと決めたのであれば、余計な口答えをせず、現在のベストを尽くして仕上げてしまうのがよろしいでしょう。会議後にとりかかったほうが合理的だとしか思えない場合は、相手を否定するニュアンスを漂わせることなく、その旨を丁寧に説明すれば納得してもらえるでしょう。

ところが、否定されたくない、自分は良く思われたい「慢」の欲に駆られているため、中途半端に謝りつつ中途半端に口答えをするという分裂状態に陥っているのです。

ネガティブな思考を捨て去る練習

このように、ムッとしてしまったり、口答えをしたくなった時はどうしたら良いでしょうか。

そもそも一般的に人が否定的な感情を抱いた時の行動には、大きく二つあります。

ひとつは、文句や愚痴を言うなど、怒りを「発散」させるという行為。

もうひとつは、無理やりなかったことにしようと目を背け我慢する「抑圧」の行為。

発散する場合、文句や愚痴を言っているあいだは、さらに怒りが心の中に刻み込まれ、怒りのエネルギーが燃やされます。これは大きな刺激が得られますから、その刺激を心は「気持ち良いッ」と勘違いしてしまうのです。

ですが、発散を繰り返しているうち何が起こってくるかというと、怒りっぽい性格に徐々に変化していくということです。発散すると刺激が強くて気持ち良いと脳が覚え、嫌なことがあったらすぐに発散しようとする条件づけができてしまいます。それを繰り返すことによって、怒りを表に出しやすい直情的な性格に近づいていくのです。

が、抑圧しようとしても、自分の怒りの感情に対して「それは良くない」と怒りの感情をぶつけることになりますから、より複雑な屈折した感情ができてしまいます。怒りに怒りをぶつけていくうち、だんだん屈折した性格になっていってしまいます。

仏道的にお勧めする方法は、抑圧と発散という道は避け、第三の道、つまり「見つめる」ということです。見つめるものは己《おのれ》の感情です。

もし、ムカつく！　と思ったら、**すぐにこの「ムカつく！」をカギカッコでくくってしまう**のです。自分はいま、「ムカつく！」ことが真実だと思っている。それが究極の真理であり、正しいことだと思っています。

それをカギカッコでくくって、《私は「ムカつく！」……と思っている》《私は「ムカつく！」……と思っている》と繰り返し念じてみるのです。

そして、《いま「ムカつく！」と思っているだけであって、これは真実ではない。自分の心が作り出しているだけのものである》と認識することです。

《『ムカつく！』と思っていました》でも、《『ムカつく！』とこの人は考えている》でも、《『ムカつく！』と思ってましたとサ》でも、何でも良いのです。

あくまでも、ひとつの見方や意見として、いまこの「ムカつく！」が持ち上がってきているだけなのだなと自己認識することです。そしてそんな己の感情を見つめて、それをそのまま受け入れる。第三者の視点で切り離したうえで、肯定も否定もせず受け入れるという離れ業を使って、反射反応を起こしてしまうのを食い止めるのです。

二度三度、同じ言葉を念じて、「○○と思っているだけなのだな」と心に言い聞かせると、自分の心を客観視することができます。すると思考の暴走がカギカッコにくくられて静まり、クリアな意識状態になるでしょう。

このように、ひと呼吸おくことで、素直に言われた通りにするか、もしくは堂々と代案を提案するか、という理に適《かな》った選択肢を用意することができるようになるでしょう。

謝罪の際には具体的な改善策を述べる

「連絡が遅れて申し訳ありません」「何度もお電話して恐縮です」……考えてみれば、世の中は謝罪や言い訳の言葉に満ちています。

しかし、このような謝罪の言葉に対し「まったくですよ、忙しいのに！」などと本音を漏らそうものなら大変です。謝った相手はたちまち目の色を変えることでしょう。

実際のところ、謝っておけば、社交辞令上、相手は否定せざるを得ない、フォローせざるを得ないことはわかっています。「いえ、そんなことはありません、大丈夫ですよ」「あなたは悪くありませんよ」と言ってくれるに違いないのです。

ですから、そこでこちらの思い通りに相手が許してくれないと、イラッとしたり、許せないなんて心の狭い人だと怒ったりするのです。そうして腹を立てて初めてわかるのは、実はもともと謝る気などそれほどなかったということです。

それなのに、なぜ謝るのか、言い訳をするのかといえば、「相手に無礼な人間だと思われたくないよー」という思考が、即座に心を占領してしまうからです。さらに、自分でも「自分は無礼な人だ」と思いたくないからです。

本当に申し訳ないという気持ちがある場合は、自分の心を楽にするための謝罪や言い訳ではなく、相手のしんどさを和らげるためにどうするかを考えると良いでしょう。そして、口先だけの謝罪や言い訳がなかば習慣のようになってしまうと、本当に申し訳ないことをしてしまった時に、「申し訳ありません」が伝わりにくくなります。そのことを自覚しながら、「謝れ!」とけしかけてくる思考を抑制して、口先だけの謝罪は日常的に少しずつ減らしていくよう心がけてみることをお勧めいたします。

とは申しましても、実際には、謝る人の真意がどうあるかということは差しおいて、社会的に謝罪の言葉が必要なことがあります。

期日までに仕上げるという約束の仕事が遅れてしまった、ミスをしてしまった、失言で相手を怒らせてしまった……さまざまな場面で、謝罪を要求されることがあります。相手が謝ることを求めているのかどうかや、それならどんな謝罪が必要なのか……など、状況を冷静に見極めて判断をするために、考えなくてはならないでしょう。

そして、本人は心から謝るつもりもないのにとりつくろって謝るなら、「機械的にしょうがなく謝っている感じ」が隠しきれていないため、相手に謝罪の意が伝わらないのです。

謝罪する必要がある時は、単に「申し訳ありません」「すみません」と言うのではなく、「もう繰り返さないようにします」と言うことです。

申し訳ないという気持ちは神妙な表情や声色であらわしながら、「次からはこういうやり方で、この順番で、失敗を繰り返さないよう気をつけます」と具体策を伝えます。

すると、相手にはこの人は改善しようとしているのだと伝わります。そして具体的に解決への道筋が示されるわけですから、相手も不快にならず、許しやすくなります。「では、次からそうしてくださいね」と言えばすむことです。さらに、相手側も何か問題点があるなら直そうと、ともによりよい方法を考えてくれるかもしれません。

ただし、具体策を述べたからには、次回からはちゃんとそうしないと信用されません。たいてい初めの失敗は許してもらえても、同じような間違いが二度三度続くと、誰からも「この人は結局、直す気なんかないのだ」と思われてしまいます。

本人も、謝ったからもう良いや、これで終わりだと思うのではなく、次からの具体的な行動指針を自ら示すわけですから、前向きに成長できる機会と申せましょう。

自分のための言い訳は、相手の苦しみを増すだけ

言い訳というものも、日常的になかなかやめられないものかもしれません。

たとえば、腕によりをかけて、家族や恋人や友人に料理をふるまう時のことを考えてみましょう。料理をひと通り給仕し終わった後で味見をしてみたら、ちょっと味つ

第2章
身体と心の操り方

1 話す

けが薄すぎたかもしれないという気になるかもしれません。

するとその味覚を通じてインプットされた刺激にむち打たれ、いてもたってもいられなくなり思考がクルクル回り、反射的に余計な言葉をあれこれと乱発したくなる……。

「あ、今日の料理はちょっと味見するのを忘れてたの。味が薄すぎるかもしれない。ごめんね、今日はちょっと忙しくてバタバタしてて」

しかし、この言葉の裏メッセージは、次のようなものでありましょう。

「ちゃんと事前に味見さえできていれば、私の料理はもっと美味《おい》しいの。それに、ゆったり時間を持って料理することができたら、何の問題も起きなかったはず」

周りの方にしてみたら、自我に関する独り言を聞かされているようなものです。この程度の言い訳であればまだかわいいものですが、一度言い訳を始めると、言い訳のたびに発生する刺激がクセになり、無意味なくらいリピートしてしまうのです。食べてくれる人が新しい皿に手をつけるたびに、「その味、薄いんじゃない？　今日は味つけに失敗しちゃって」。食べながらこのような言い訳を聞かされる側になってみますと、「いや大丈夫、そんなに薄くないよ」「ううん、とても美味しい」など、いちいちフォローしなければならないプレッシャーが生じて疲れてしまいます。相手にまで、考えることの負担を押しつけてしまうことになるのです。

それでも相手が美味しいと感じてくれている場合は、相手もさほど苦痛ではありませんが、確かに味が薄いと感じているのであれば、「いや、そんなに薄くない」と嘘《うそ》をつくたびに欺瞞《ぎまん》を感じ、いちいち小さなストレスをためるはめになります。「フォローしなければならないプレッシャー」を相手にかけるうえ、言い訳をするたびに自分自身もなんだか苦しい心持ちになるのに、どうしてわざわざ言い訳などしてしまうのでしょう。

それが病みつきになってしまうのは、それによって発生する苦の刺激に心が中毒になってしまっているからです。

苦しい刺激や不快な刺激の「ドキドキ感」を心は「気持ち良い」と錯覚してしまい、本当は不快なはずなのに、「快」と書き換えてしまうのです。短期的な気持ち良さにごまかされ、どんどん暴走して刺激を繰り返してしまいます。

薄味について言い訳を重ねたところで、誰も「この人は本当は料理が上手であるに違いない」と都合良く思ってくれるはずもありませんし、お互いに苦しむだけなのに、

１　話す

それによって得られる苦の刺激を脳が錯覚し、「刺激があって気持ち良いッ」と情報改ざんしてしまう罠《わな》に欺かれているのです。

このような煩悩の仕組み、情報改ざんの罠を見破っていただいて、ついつい有害な言い訳をマシンガンのように乱射してしまうのを戒めていきましょう。

誠実な言い訳で相手の苦をケアしてあげる

しかし、すべての言い訳が有害であるというわけではありません。時と場合に応じては、言い訳をすることによって相手の精神的負担が和らぐこともあるからです。

たとえば待ち合わせの時間に五分遅れた程度なら、むやみに謝ることも言い訳することもなく、「いやはや、遅れてしまいました」程度に事実を神妙な表情で伝えれば十分でしょう。

しかし、明らかに相手が苛立《いらだ》ちかねないくらいに大幅な遅刻をしてしまった場合は、私たちにはその苛立ちをケアする義務が発生します。「待たされた」という事実が思考回路にインプットされて、相手に苦の刺激を感じさせているのですから。

この時、相手の傷口からは、「私はこの人にとって『待ち合わせに遅れないようにしよう』と思ってもらえるほどの価値がないのか。私のような人間はどうでもいいから、これぐらい待たせても平気だと思われているのでは……」という「慢」の煩悩モードが活性化し、思考のノイズが表面化しているのです。

その傷口を治癒《ちゆ》するためには、「遅刻してしまったのは、あなたのことをどうでもいいと思っているからではなくて、別のどうしようもない事情が発生したせいなのですよ」と伝えてあげ、傷を縫合してあげることです。

むろん、だからといって、電車が遅れてもいないのに電車が止まってしまった、という嘘をつくと、自らの心が歪《ゆが》んでしまいますから気をつけねばなりません。

ともあれ、どんな場合も言い訳をしなければならないというわけではなく、どんな場合も言い訳をしてはならないというわけでもありません。

「自分の言葉や行動が原因で、相手に苦が生じてしまっているのが明らかな場合」
「嘘のない言い訳を相手に伝えることにより、相手が楽になることが確かな場合」

これらの条件が揃《そろ》った場合は、誠実な言い訳が有効なこともありましょう。

すなわち、言い訳は乱射すればいいものでもなく、一回一回、相手の性格やその際の感情を吟味しながら、注意深く選ぶべきものであると申せましょう。

脳が錯覚する、短期的な利害と長期的な利害

どんなに急いでも約束の時間に間に合いそうもない。そんな時、なぜか時間を少なく見積もって相手に伝えてしまうことって、よくあることではないでしょうか。

到着まで本当はあと一五分ぐらいかかりそうなのに、「あと五分で着くから！」と言ってしまう。そう言ってしまってから、後悔するのです。

本当なら、正確に「あと一五分かかります、申し訳ありませんが、待っていてください」と言ったほうが相手にとってはまだ有益に決まっていますし、改めて五分待ったあとの一〇分間を待たせることで、相手の機嫌もさらに悪くなるかもしれません。

そして相手も嫌な思いをするけれど、言ってしまった自分も辛《つら》くなります。人を待つ以上に、人を待たせるという行為は、潜在的に「あー、なんて思われるかな」などと思考のノイズが暴走するため大きなストレスになります。

とりあえず、いますぐ相手の期待に応《こた》えたい、期待を裏切りたくない……軽いパニ

ック状態でやぶれかぶれに発生した、「慢」の煩悩に支配されているがゆえに、ダメージを大きくしてしまうのです。

このようなちょっとした安請け合いならまだしも、仕事でよくあるのは、慎重に考えもせずに、あるいは無理かもしれないと思っているのに、「それ、できます」とか「私がやります」など、つい口約束をしてしまう行為です。

結果として仕事が成し遂げられなかった場合、この人は口先だけの人で大きなプロジェクトは任せられないという不信感を周囲に与えてしまいますから、危険です。

プライベートでも、話が盛り上がっているとき、そのノリを断ち切らないために、安請け合いしてしまうこともあるでしょう。そんな安請け合いも、結果が伴わなければ、繰り返すうちに不信感を持たれてしまいます。

なぜ、できるかどうかもわからない約束をしてしまうのでしょう?

場の雰囲気を自分の脳内で勝手に察して、目にも止まらぬ早業で考えが先走ってしまうからです。そうして立ち上がってくるのが、「嫌な奴だ、無能な奴だと思われたくない」という「慢」の欲。

1 話す

「できない自分」を自分が認めたくないという「慢」の欲。

つい反射的に出てしまう、これら煩悩の仕業と申せましょう。

長期的な視点で見れば、失敗して自分の評価が下がったり、お互いの信頼関係が崩れたりするかもしれないのに、つい短期的な評価を求めてしまうのです。

人の脳は、ひょっとしたら短期的な利害ばかり求めて、長期的な利害を認識しないようにできているのではないでしょうか。その瞬間瞬間にどのくらいの刺激が得られるかにしかフォーカスしていないのではないか、とすら思えてしまうほどです。

その証拠に、いざ信頼関係が崩れても、「あの時の反動的安請け合いがよくなかった」と長期的な因果を認識するかわりに、「がびーん、あーあ、自分ってダメだなあ」などとむやみに自らを責める刺激の中へ逃げ込んでしまいがちなのです。

悪口は結果的に自分の心を汚す

心のコントロールをすること、これが仏道のスタートでありゴールです。心の中から瞬時にわき上がってくる怒りや欲、迷いなどの煩悩に負けず、コントロール下においてしまうことです。

そのための仏道的テクニックが、自らに課する「戒」、すなわち自己ルールを決め、それを守るということです。戒によって煩悩エネルギーを抑制するのです。

仏道には「十善戒」と呼ばれる十の戒めがあります。

一、不《ふ》殺生《せっしょう》（生命を殺さない）
二、不《ふ》偸盗《ちゅうとう》（与えられぬものを取らない）
三、不《ふ》邪淫《じゃいん》（浮気をしない）
四、不《ふ》妄語《もうご》（事実に反したことを言わない）
五、不《ふ》悪口《あっく》（ケチをつけたり批判をしない）
六、不《ふ》両舌《りょうぜつ》（ネガティブな噂《うわさ》話をしない）
七、不《ふ》綺語《きご》（他人に無駄話を押しつけない）
八、不《ふ》貪欲《とんよく》（心の中に欲望をつくらない）
九、不《ふ》瞋恚《しんに》（心の中に怒りをつくらない）
十、不《ふ》邪見《じゃけん》（無常・苦・無我の法則を知る）

第２章
身体と心の操り方

１　話す

十のうち、話すことに関するものが四つもあることに気がつかれるでしょう。

そのうち、「不悪口」は人の悪口を言わないということですが、それはなぜかと申しますと、それによって相手が傷ついたとしても傷つかなかったとしても、言う本人には怒りの毒素が生まれ、怒りの煩悩エネルギーが増えていくからです。自分がその言葉を口にした瞬間、その言葉は強い刺激を持っている分、自分の心にフィードバックされ、強くしみ込み、汚れるだけなのです。

批判や悪口を言うことで、その相手より立派な人間だというプライドを保つことができるような錯覚を得ますが、実際には、自分に怒りの煩悩が増えるだけです。

同じように、「不両舌」もその場にいない人の「負」の噂話をすることによって、その場にいる人たちが他人をおとしめようとする怒りの煩悩エネルギーをお互いに増幅し合い、結果的には負のエネルギーを心にフィードバックさせ合っているだけなのです。

嘘を積み重ねると、頭が悪くなる⁉

「不妄語」は、嘘をつかないということです。

本来の情報とは違うことを口にしていると、自分の心の中で、「正しい情報」に「正しくない情報」を上書きしてしまいます。事実と嘘の反対の情報が心に焼きつきますので、情報処理能力が混乱し、長期的には記憶の連結がおかしくなっていきます。

実は自分で買ったアクセサリーを「これ、彼に買ってもらったの」と嘘をつくと、「あの店で買った」という正しい情報に「彼が買ってプレゼントしてくれた」という正しくない情報を上書きすることによって、記憶の連結がおかしくなります。

この、連結がおかしくなるエネルギーが、迷い＝「無知」の煩悩です。それによって、その人の思考の流れはまっすぐにならなくなり、ガタガタになってしまいますから、思考のノイズが走りやすくなり、思考が暴走しやすくなっていくのです。

相手の服を別にいいと思っていないのに、「その服、かわいいね」などと褒めるのは、「いいと思っていない」のに「いいと思っていることにする」わけですから、その混乱で記憶力や明晰《めいせき》さが衰え、結果的には、自分が本当に何をどう思っているのかがわからなくなっていきます。

建前やごまかしなどささやかな嘘も、積み重ねるのはやめたほうがいいでしょう。

無駄話を他人に押しつけない

話すことに関する四つの戒のうち、「不綺語」に関しては、他の三つに比べてわかりにくいのではないでしょうか。

綺語とは、無駄話全般をさします。口数が多いということは、欲に駆られて必要のないことまで話し続けるということで、そもそも美しいものではありません。

さらにそれを他人に押しつけるというのは、「自分の話を聞いてほしいよォォォ――ッ」という欲の煩悩エネルギーを活発化させてしまっている状態なのです。

しかし、いったい無駄な話とは何でしょう？　対して、有意義な話とは？

仏道の見地からは、相手にとって有意義でないものは無駄話であると考えて良いでしょう。

たとえば食事を作ってくれた相手に「このご飯、美味しいね」とニッコリ微笑《ほほえ》むのは、有意義な話であり得ます。褒めすぎや嘘は良くありませんが、肯定的な評価をすることや、その場を和ませることは有意義な話と言えます。私はあなたを受け入れていますよ、というメッセージを伝えることは、コミュニケーション上、有意義なことだからです。

また、性格の歪《ゆが》みを修正するような本質的な話や、欲や怒りや迷いによる混乱状況から少しでも楽になるような言葉。また、もし冗談で人が和むのであれば、時としてそれは有意義なコミュニケーションと言えるでしょう。

相手にとって有意義でないもの、聞かされた側が、心にもない相づちやフォローを返さなければならない話は無駄話といえます。自慢話や、知らなくても別に困らないような情報の羅列、過剰な社交辞令や人の噂話、芸能界のゴシップなどです。聞かされた側には無駄な情報が植えつけられて染みつき、思考のノイズが増えますし、言った側も、口にしたことによってより強く無駄な思考が焼き増しされてメモリを奪われてしまうのですから。

自らの欲に駆られて、他人に無駄話を垂れ流すようなことはせず、口を慎んでいれば、誠に気品のある、美しい立ち居ふるまいにつながっていきます。

いままで無駄話に使われていた欲や迷いの煩悩エネルギーが使われなくなる分、別のもっと有益なことに向かってエネルギーを割くことができるでしょう。

現代日本に蔓延する「ありがとう病」は心を歪ませる

ありがたいなァ、嬉《うれ》しいなァと心底感謝している時に、素直に「ありがとう」と言うのは、言う側も言われる側も、とても心地が良いものです。

けれど、先ほども申しましたように、思ってもいないことを言うのは意外に辛いもの。ありがたいとも思っていないときに「ありがとう」「感謝しています」と言うのは疲れますし、聞く側にも、その裏側にあるしらじらしさが伝わってしまいます。

けれど、日本人はたいそう「ありがとう」を好みます。

常に心の中で「ありがとう」と唱《とな》えていれば幸せになれるとか、感謝の気持ちを持ちましょうと教える宗教や本にこと欠きません。

それを信じている方は、何があっても「ありがとう」を唱えようとします。怒っていても「ありがとう」、攻撃されても「ありがとう」。普通なら怒る場面でも「ありがとう」と言っているので、口で言っていることと表情が相反し、不気味な印象を与えてしまいます。何より、「ありがとう」と思ってもいないのに「ありがとう」と思うのは、嘘をついていますから、心が歪むだけです。

さらに、こうした自己洗脳の状態にはまってしまって、心の込もっていない「ありがとう」を連発すればするほど、周りの人に「この人は特に感謝していなくても、とにかくありがとうと言う人なんだな」と思われてしまうことでしょう。

仏道において、人が幸せに生きていくために育てるべき感情としているのは**「慈・悲・喜・捨」**の四つだけです。

「**慈**」は、人々を含めた他の生き物が平和で穏やかであることを願う感情。
「**悲**」は、哀れみの感情や、悩みや苦しみがなくなることを願う同情心。
「**喜**」は、他者が幸福になって喜んでいる時、自分もそれを見てともに喜べる感情。
「**捨**」は、怒りや迷いを持つクセをなくし「平常心」を保つ心の状態。

この中に、感謝にあたるものはありません。なぜなら感謝の気持ちというのは、どんなにありがたく思おう、感謝しようと努力しても持てる感情ではないからではないでしょうか。

「ありがたい」というのは、何か予想外に好ましいことがあって嬉しいと感じた時に生じてくる気持ちです。文字通りなかなかありそうにない。有り難いことだからです。

経典の中には、ブッダが弟子たちに「ありがとう」と感謝している記述は（たぶん）ありません。それと同様に、謝っている記述も見当たりません。

その代わり、「〇〇は良くやっている」とか、「素晴らしく進んでいる」等の肯定的な評価があるだけです。弟子たちもブッダに対してありがとうございますと感謝している記述はなく、「素晴らしいこと」「ブッダの導きによって自分の心が明るくなり、物ごとを良く見ることができるようになった」等と肯定的な評価をしているのみです。

感謝も、メリハリとバリエーションが必要

だからといって、感謝してはいけません、と言っているわけではありません。

本当にありがたい、感謝したいと思った時に、それを素直にタイミングよく口に出せることが一番良いことです。

だからこそ、それが生じていない時に生じたかのようにふるまうのは避けることです。自分の中でもメリハリをつけたほうが「いま自分は感謝しているのだ」という自己認識もクリアになります。受ける側も、気持ち良く感謝を享受することができます。時に、会社組織などでは、社交辞令的な感謝も必要とされるでしょう。

それを頑固に拒否するのではなく、必要以上の社交辞令をしないということです。保身のための言い訳、ごまかしのための謝罪と同じように、実感のともなわない感謝の連発や必要以上の褒め言葉を繰り返すことは避けたほうがいいでしょう。

感謝の気持ちを相手にきちんと伝えるには、単に「ありがとう」と言うのではなく、感謝の言葉のバリエーションを増やすと伝わりやすくなります。

たとえば、人に何かをいただいたら、「ありがとうございました」と言ったり書いたりするのではなく、「○○を美味しくいただきました」とか「家族で嬉しくいただきました」とするなど、**「ありがとう」という言葉を使わずに感謝の意を伝える工夫**を凝らすと、先方にも気持ちが伝わりやすくなります。

つまり、定型化していない言葉を選ぶ工夫をすればいいのです。そうやってオリジナルに工夫して考える分、頭も冴《さ》えてまいります。自分は相手の何がどう嬉しかったのかと思い返すことで、言葉のバリエーションも増えていくことでしょう。

一方、自分の苦手なものや嫌いなものをいただいてしまった場合には、どうすれば良いでしょうか。美味しくなかったものを無理やり美味しかったと言うのは、嘘をついて自分のストレスを増やすだけでなく、相手に対して失礼です。気に入ってくれたのだと思われ、また同じものをいただくかもしれませんから、無駄なお金や労力を使わせてしまうことになります。

その場合は、事実に即して「久しぶりにキノコ類をいただきました」等とアッサリ言うのがよろしいでしょう。

つけ加えますと、謝罪する場合も、先述のように具体的な改善策を示すのが良いと思いますが、さらに謝罪の気持ちが強いのなら「すみません」ではなく、「力足らずで、こんなことになってしまいました」「私の力が及びませんでした」などと言葉を換えてみると、気持ちが伝わりやすいでしょう。

コラム1

呼吸する

ちまたではよく、丹田《たんでん》で呼吸するとか、深呼吸してリラックスしましょうと言われますが、一番大事なことは呼吸の仕方ではありません。少なくとも、私は普段の座禅瞑想《めいそう》のお稽古《けいこ》では特に呼吸法は扱いません。

大事なことはやり方ではなく、そこに意識を向けることだと考えています。

たとえば、自分がどういう呼吸をしているのか意識してみましょう。苛立《いらだ》っている時、あるいは興奮して何かを押しつけようとしている時は、必ず呼吸が浅くなっています。リラックスしている時は呼吸が長く深くなっていて、イライラしている時は浅く荒くなっています。

そして、座禅をしばらく続けて呼吸といったものを意識するようにしていると、そのうち、自分が普段どれだけ浅い呼吸をしていたかに気がつくようになります。

話している時、食事をしている時、仕事をしている時。

意識していますと、イライラしている時や自慢話をしようとしている時、とても浅い呼吸になっていることに気がついて、こんな苦しいことはやっていられない、とハッと気がつくのです。苦しさを感じると、心が自動的にきちんとした呼吸に補正してくれます。

人は自分の姿を認知すると、変わらざるを得ません。

話し方がおかしいことがわかると、話し方が変わります。

自分の心の歪《ゆが》みがわかると、心の持ちようが変わります。

浅い呼吸の違和感を認知することで、呼吸が変化してゆきます。

きちんとした呼吸に戻して楽な状態に戻ると、その呼吸と結びついていた嫌な感情や煩悩は流れ、自慢話がしたいという感じや、なじりたいという感情が薄まってきます。

いま自分がどんな感情を抱いているかを、日常生活の中で、呼吸を通じてチェックする練習をしていますと、次第に自分の感情に気がつきやすくなります。

相手の顔色や態度を観察するのと同じように、自分の呼吸を通して、自分の心の方向性を決めるシグナルに気がつくようになりましょう。気がつけば、自然に、苦しい呼吸は直され、呼吸と心が連動していくことでしょう。

2 聞く

仏道本来の瞑想法《めいそう》は、瞑想の集中力を道具にして自分の心の動きを見つめるお稽古《けいこ》です。たとえば何かの音がしていて「音↓何の音だろう↓○○の音だ↓うるさいなあ」というように思考が連鎖しても、それにとらわれずに、音そのものをありのままに聞くべく集中して思考の流れを止めることによって、「音↓……↓……」という心の反射反応をストップする練習をしています。「音↓……」で止める。

しかし日ごろ、座禅の指導をしていますと、初心者の方は嫌な音が聞こえてきた時だけその音に集中して念じようとする傾向があります。普段は集中していないのに、嫌な音が聞こえてきた時だけ急に集中して防ごうとしても、うまくいきません。

この章では、「聞くこと」に集中することによって、聴覚から入ってくる刺激や煩悩をコントロールし、余計な思考を止める練習をしてみましょう。

音に「洗脳」されないように、自覚的であること

イライラしている時、物にあたってスッキリするつもりが、自分の立てた大きな音でさらにイライラが増幅してしまったという経験があるかもしれません。大きな音を聞くことによって、さらに怒りの刺激が大きくなり、心にこびりつくからです。

普段、私たちは常に「洗脳」の脅威にさらされていると言っても過言ではありません。刺激の強いテレビの映像や音声は無自覚的に浴びていると確実に心に影響を残しますし、その中でも特に刺激の強いものは心に強くこびりつき無意識的思考のノイズを形成します。覚えやすい単純なメロディーのCMソングを繰り返し聞いていると、いつの間にか心に定着してしまいます。

それはコマーシャルだけでなく、過去に繰り返し言われた言葉でもそうです。初めに聞いた時は、意見を押しつけられたことで反発を覚えても、何度も何度も繰り返し聞いているうち、何となく自分が自発的にそう考えたかのように錯覚してしまうので

す。「誰かに押しつけられた言葉」から「自分の言葉」になっていきます。

ですから、自分を好ましい方向に導くものであることがわかっている場合には、そういう音や言葉に耳を傾けるのは良いことです。

が、たとえば以前「修行するぞ、修行するぞ、修行するぞ」「お布施するぞ、お布施するぞ、お布施するぞ」と繰り返し叫んでいたオウム真理教に洗脳されてしまった人たちもいたように、良くないものを無自覚的に繰り返し聞かされることは危険です。

こう考えてみますと、年中、怒鳴り声や攻撃的な音を聞いていることは決して良いことではありません。その人の心の奥を終始、チクチク刺激するノイズとして、テロップが流れるように攻撃的な言葉が駆け抜け、その残響がたまっていき、いつの間にか定着してしまいます。そして、あるタイミングで、その人からもふいに攻撃的な言葉が出てしまうのです。

暴力的な音はもちろんですが、常に怒鳴り散らしているような人の側《そば》にいても、悪い影響を受けがちです。そういう人の側にいないですむのなら、いないほうが良いでしょう。自分がどんな場に身を置くかについても考えてみたほうが良いのです。

特に小さな子どもがいる場合、怒鳴り声や罵声《ばせい》はもちろん、終始大きな音がしているような環境で育てると、子どもの情緒に悪影響を与えて性格に歪《ゆが》みが生じるという話もありますから、やはり子どもの前で夫婦喧嘩《げんか》をすることや、大きな音を立てるのは控えたほうが良いでしょう。

ですから、自分でもなるべく普段から**「音を立てないで動作する練習」**をしておきましょう。扉を開ける時、物を置く時、道具を使う時など、音を立てないように心がけるクセをつけますと、動作も丁寧になり、見た目にも美しく映えます。

「諸行無常を聞く練習」で意識を鋭敏化させる

しかし、人には本来「強烈な刺激をインプットしたくてしょうがない」という心の習性があります。

褒められたり、おだてられるような好ましい言葉に耳を傾けるのは誰もが得意です。そういう時、その音を一言も聞き逃さないぞ、という勢いで聞くことでしょう。

また、建物の外部で聞こえている大きな不快な音を聞くのも、実はとても得意なのです。不快な音はとても刺激的ですから、いつまでもいつまでも、それに意識をへばりつかせ、不快な苦の刺激を受け取ることに反応してしまうこともあるでしょう。

裏を返しますと、刺激の弱い音に対しては集中していることができません。たとえば時計の音。部屋の中で常にチクタクと音を立てているのに、普段はほとんど聞こえていないことでしょう。時計の音の微細な刺激よりも、はるかに強い刺激が満ちあふれていますから、心は無視をしているのです。

ところが仕事の手を休めた時や布団にもぐり込んだ時、慌ただしかった心が休憩をして刺激の量が減る瞬間が訪れます。刺激が得られなくなった心は、周囲に刺激を探し始めます。その瞬間、チクタクという音が突如として気になり始めるのです。

しかし、そのチクタクも永久に続くわけではありません。「ああうるさいッ、時計の音が気になるッ」とイライラの刺激を感じることができる間だけ、心が興味を持って聞いていますが、やがてその刺激にすら飽きてしまいます。

すると心は再び聴覚から離れ、時計の音を無視し、今度は心配ごとという、より刺激的なものへと逃げ込んでいきます。「こんなに眠れなくて、明日ちゃんと起きられるだろうか」といった目先の心配から人生の不安といった深刻なものへ、さらに大きな苦の刺激を求めて心がさ迷ってしまうのです。その時にはすでに、チクタクという微弱な音など完全に頭の中から消滅していることでしょう。

このありさまから脱出するための手だてを考察してみましょう。

私たちが朝起きてから夜寝るまでに耳にする音のうち、その多くが激しく欲を刺激するものでも、また激しく怒りを刺激するものでもありません。通勤電車の中で聞こえてくる音や他人の声は、非常につまらなく、好きになれないかもしれません。そういった音の代わりに、ｉＰｏｄなどで自分の欲を刺激してくれるような大好きな音楽を聴くというのは、多くの人々が採用している防御壁です。

しかし常にそれを行っていると、「つまらない音は受け入れたくない、だからこの興味深い、刺激を与えてくれる音に置き換えてやる」という衝動が強まります。

たったこれだけのことでも、心には**「業《カルマ》による条件づけ」**が生じます。刺激の少ないつまらない状況でも、その状況から逃げてしまいさえすれば良いのだと心が学習してしまいますので、「つまらないものにも集中できる能力」が確実に損なわれていくことになるからです。

普段から、音や声の強い刺激に頼らなくて良いように心がけておくことです。

欲も怒りも刺激しないような、ニュートラルな感覚を発生させる音や声。そういったものをできるだけ無視しないように、耳を傾けていましょう。

ここで、ひとつの音に集中する練習をしてみましょう。

たとえば周囲のガヤガヤとした音の中から、風の音にフォーカスをあててみます。周りにある音すべてを漠然と聞いている時には、特に興味を惹《ひ》かれることのない、つまらない音と見なしていたことでしょう。

しかし、その音に特にフォーカスして、しっかり聞き取ろうと集中してみると、その音にも案外、興味深い情報が含まれていることに気がつかれるかもしれません。

さらにもっとギューッと集中すると、これまでいろいろな「ノイズ」が含まれていた意識がクリアになって、ちょっとした爽快感《そうかいかん》が生じることでしょう。

つまらない音に感じられていたのは、自分の意識が鈍化していたからです。

どんな情報も微細に観察してみれば、常に変化しています。世の中の一切の作られたものは猛烈な速度で変化し続けていて永久不変なものはない、これが「諸行無常」です。

普段は、大きな刺激ばかり気にしていて、微細な刺激を認識していません。しかし、細かく認知するように心がけ、諸行無常の微細な変化を認知して、その速度についていけるほどに意識をシャープにできますと、徐々にシャキーン、としていきます。

世界に耳を澄ませば、世界が変わる

現代は、あまりに聴覚への刺激を増しすぎているために、ほどほどに刺激のある会話ですら、まるで不感症のように上の空になってしまいがちではないでしょうか。

仕事上の会話は、「仕事だから聞かなきゃ」という刺激の上乗せがある分、本来なら相手の声をしっかり聞いていることはさほど難しいことではないはず。にもかかわらず、その程度の刺激では足りなくなっているために心がさ迷ってしまい、そこに余計な思考のノイズがたくさん混ざるのです。

仕事の会話を始める直前まで、ｉＰｏｄなどで自分の好きな音楽を聴くのに夢中になっているとしましょう。その時点ですでに、「自分の興味のない、つまらない音は聞きたくないもんね」という「迷い」のドライブが意識下で活性化しています。その状態から急に、「さあ、これから会話に集中しよう」と決意しても、そう都合良くはいかないのです。その直前まで周囲のつまらない音を拒絶し続けていたのですから、そのしわ寄せは当然、目の前にいる相手との会話にも影響してきます。

が、その直前まで現実に発生している微細な音に注意深く耳を傾けていたら、つまらない音も興味深く聞くモードになっています。それゆえ聞いているフリなどの小細工をする必要もなく、自然に相手の話に集中し、理解することができるでしょう。

誰かとの会話の声にしろ、会議の声にしろ、鳥や風の音にしろ、「聞くこと」がその場面だけで独立し、完結していると考えることは賢明ではありません。仏道では、物ごとはすべて因縁によって時間の流れを通じて結び合っており、影響し合っているからこそ、寄り合って起こるのだと考えています。それが「縁起」というものです。

ですから、恋人としっかりとコミュニケーションがとりたいのであれば、職場の方々の話にもしっかりと耳を傾けること。

職場の方々と綿密なコミュニケーションをとりたいのであれば、街中のやかましく思える音や電車内のありきたりな音にも耳を澄ませること。

そしてまた、そういった微細な音にも耳を澄ませるための能力を培《つちか》うには、恋人の話をしっかりと聞いてあげること……といったように、それぞれはまるで星座をなす星々のように関連し合っているのです。

そのうちのどれかを差別して無視しようとするのではなく、それぞれに均等に細やかな注意を向け始めれば、私たちには豊穣《ほうじょう》な音の世界が展開し始めるのです。

相手の苦の音を観察することがコミュニケーションの基礎

考えてみますと、私たちは人の話を聞く時に、話されている内容に着目しすぎているのでしょう。誰しも話のプロフェッショナルなわけではありませんから、相手にとって興味深い話ばかりを聞かせられる人間など、ほんの一握りしか存在しません。ゆえに内容のみに着目すると、つまらなく感じられることもあるでしょう。

自分の恋人が仕事の愚痴を話している例を考えてみましょう。そこで語られている内容は、こちらにとっては非常につまらないものかもしれません。

けれども、愚痴を言っている方はそもそも、その内容を伝えたいというより、自分のことをわかってもらいたいという気持ちに導かれているのです。ですから話を聞く時に最も重要なのは、**相手の感情を浮き彫りにして受け止めてあげる**ことです。そのためには、相手の声音や速度、呼吸の変化といった情報に注目することです。

会話の中で、まず「音」という観点に耳を傾けてみますと、非常に興味深い変化が次から次へと起こっていることがわかります。

相手の声のトーンが高く落ち着かないものに変化したり、低く穏やかなものに変化したり。速度がまくしたてるように早くなったり、ゆっくりと区切るようになったり。

こうした情報は、普通であれば大して刺激的なものではありませんから、常に「無知」のスイッチを入れて心の中でぶつぶつ考えごとをしながら過ごしているのです(知り合ったばかりの恋人といった例外的な関係をのぞいて)。けれど、観察すればするほど、音程も速度も呼吸も非常なスピードで変化していること、つまり諸行無常がわかってきますから、それを追いかけているうち、つまらないどころか、大変興味深いものだと感じられるようになることでしょう。

さらにじっくり観察しますと、相手の「苦」のゲージの目盛がどのように増減しているのかを分析することができるようになります。

たとえば、話をしている相手が「あのー……」「ええと……」「うーんと」「なんかさー」などの意味のない前置きをしていたら、それは相手の頭の中でところどころ集中力が途切れて、関係のない情報の処理で混乱状態になっている時です。

相手が「あのー……」となっていたら、「おやおや、この人はいま混乱しているな」と聞いているこちら側に余裕が生まれます。すると、こちらは落ち着いて観察することができるようになりますから、留意しておくと良いでしょう。

または、相手が言葉を口にする直前に、息をひゅっと強く吸い込んで一気に話し始めた瞬間。「この人はいま、苦の刺激を強く感じているな」と認識できます。

あるいは、息をひゅっと強く吸い込んだのに、何も言わないという時もあります。何か言いたいことがあるのに、言えないのかもしれません。

声が甲高くなった時、口調が早くなった時、とげとげしくなった時も同様です。

また、感情を抑圧するタイプの方は、怒っているのに、自分でそれを認めたくないため、いきなり丁寧な言葉使いになるとか、セリフを棒読みしているようなフラットなトーンになることがあります。丁寧な言葉使いなのに、怒りの感情を無理やり押し込めているので、聞いているほうも穏やかな感じはまったく受けません。表面上は丁寧でも、自分の荒れ狂った感情に無理やりふたをしているからです。

相手の表情も、絶えず変化しています。目がこちらをじっと見据えていたり、あるいは目をそらしたままだったり、顔の筋肉がこわばっていたり、緩んでいたり。いずれにしても、そうした変化を「苦」のシグナルとして観察して、ひとつひとつ捕捉《ほそく》してあげることができたら、「ああ、かわいそうに。この苦しみから何とかしてあげたい」と、相手に対する積極的な関心が素直にわいてくることでしょう。

相手の発している苦のシグナルに対して鈍感であるからこそ、私たちは相手のSOSを無視して上の空になり、あまつさえ、「その話は前にも聞いたよね」などと、余計に相手の苦を増してしまうことすらあるのです。

さらに、「同じような愚痴を何度も聞かせて、この人は私を利用して快楽を味わっているに違いない」などと怒り、自らの苦をも余計に増やしてしまったりするのです。愚痴を言っている本人は快楽を味わっているどころか、現実には呼吸が浅く苦しくなり、表情が歪み、声は不快に甲高くなるといった苦しみに襲われていて、何ひとつ、得などしていないというのに。

コミュニケーションにおける、ありとあらゆるすれ違いは、相手が自分を犠牲にして快楽を得ているのではないかという妄想に基づいています。

しかし、話している相手の「音」という情報に意識を集中してみることによって初めて私たちの妄想のラップを突き破り、相手が実際に感じているのは苦しみ以外の何ものでもないということが理解できるようになることでしょう。するとようやく、私たちは相手に対して「慈悲」と申すべき、優しい心持ちを形成することが叶《かな》います。

一見つまらなく思われる微細な情報でも、余計な考えごとをストップしてそれらひとつひとつに丁寧に意識をめぐらせると、たいてい興味深く感じられるようになり、気持ちも穏やかに変化していくことを心が学習します。その結果、少しずつ、さほど刺激的にも思えない会話にも、しっかり集中できるようになっていくでしょう。あえて「意識の操縦」に挑戦してみますと、思いがけない収穫が得られるのです。

批判された時は、相手の苦しみを探して余裕を持つ

話している相手の「音」という情報に意識を集中してみる練習は、相手に嫌な言葉を投げかけられた時にも、私たちを救ってくれます。

自分の仕事が思うようにうまくいかない時、ただでさえ自分自身がやりきれない気

持ちになっていることでしょう。このやりきれないという気持ちは、潜在的には怒りの煩悩エネルギーですから、心は激しく怒っています。「うまくいかせなければいけないのに、どうしてうまくいかないのだ！」と。

そこに他人から「こんなこともできないの」「キミは才能がないね」など非難されようものなら、激しい怒りの炎が燃え上がり、激しく落ち込んでしまうことでしょう。

さらに、言った相手に対して怒りをめぐらせようものなら、その怒りによってさらに身体に不快物質が生じます。そのとき苦しむのは自分であって、相手ではないのです。たいてい、「なんてひどい奴だ」と脳内で相手を非難しているあいだは、それによってバーチャルに相手に「仕返しをしているつもり」になっているものですけれども……。

怒りという毒素でさらに自分自身を損なわないためには、情報がインプットされた瞬間のところで「頭の中の情報処理」を止める必要があります。

不愉快になりそうになった瞬間に、頭の中へと逃げ込んでいきそうになる心を再び情報が入力された入り口へと追い返しながら、考察をいたします。

いま自分が感情的になりかけているのは、単に音波が聴覚にあたったからである。

2 聞く

そしてその音がどのような音であったか、ということを明晰《めいせき》に分析いたします。

その声色、音程といったリアルな情報を元にして、相手がそれを口にした動機や背景を分析するのです。

まず、どのような時でも役に立つのは、**相手を突き動かしているのは、苦しみ＝ストレスなのではないか、という洞察**です。こちらを批判することやおとしめることによって解消したいストレスがあるからこそ、そうした行為に及んでいるのだと。

ただし、「あの人も苦しいから、そういうことを言ってしまうだけなんだ」と単に思い込もうとしても、効果はありません。現実の情報から相手の苦しみを裏づけるような確実な「証拠」を実感しない限り、心は納得できません。

だからこそ、自分を批判する相手の声もぼんやり聞くのではなく、極めて注意深く、できるだけ耳を傾けておくことが賢明です。

相手がじめじめした、のどに何かが詰まったような声で批判を口にしているとしたら、その言葉を吐かせている背景に、「怒り」の煩悩のエネルギーがあります。

批判した本人は怒りによって脳内を刺激されていますから、「刺激が入ってきて、気持ち良い」と勘違いしていますけれども、実際は怒りの煩悩によって動かされ、さらに怒りの毒素によって自らを痛め、結局は苦しみを増やしているだけなのです。

あるいは高揚した嬉《うれ》しそうな声で、嫌みや批判を浴びせているのが聞き取れる時。

そういった他人をバカにするときに生じる高揚感は「慢」の煩悩に由来しています。「慢」の煩悩に駆り立てられている時は、アドレナリンのような神経物質が出て興奮していますが、興奮が冷めたあとには強い疲労を感じるものなのです。

このように思考を止めてまじまじと「音」を観察することで、相手の苦を見出すことができます。相手が良からぬことを口にした時には、現実の情報を明晰に分析しますと、批判している当の本人が自らの煩悩ゆえに報いを受けていることが洞察できるでしょう。この人は無意識的には苦しんでいるのだなと思うことで、こちらにも余裕が生まれます。

このような観察と分析を習慣づけておくことで、思考が脳内にひきこもって怒りを増すことなく、冷静に対処することができるでしょう。

心の情報操作を入り口で止める練習

しかし、これはすでに嫌なことを聞いて、不愉快になってしまった瞬間の対策です。それより良いのはもちろん、最初からまったく不愉快にならないですますことです。それには、脳内における情報処理が勝手に進んでしまわぬよう、**「情報を入り口で止める」訓練**が必要になります。

普段から「聞くこと」に徹底的に全意識を集約していて、心の余計な働きをストップさせるという訓練です。

常に聞こえてくる音の中身が欲を喚起させる好ましいものであれ、怒りを喚起させる不愉快なものであれ、無知の煩悩を刺激するつまらないものであれ、音そのものをできるだけシャープに、ありのままに受け取っておくことです。ありのままに、というのは、好ましい褒め言葉をかけられたとしても、いちいち舞い上がってしまうことなく、「音そのもの」に集中するということです。

好ましい音に舞い上がり、好ましくない音に落ち込み、つまらない音を無視しようとする、それが人の心の根深い反応パターンです。しかし、聞こえてくる音に対して、常に、これは好ましい音、これは好ましくない音、これはニュートラルな音と分析したうえで、音そのものを聞くことに集中していると、音そのものがすこぶるシャープに、クリアに聞こえてきます。それと反比例して、それを言われたから、ああだ、こうだと考える思考はどんどん薄れていきます。

即座に反応するというパターンが抜け落ちていくと、聞こえてくる情報がどんなものであれ、「音が聴覚を刺激しているのにすぎない」と平常心を保《たも》てるようになります。

普段から、自分が「褒める音をぶつけられると舞い上がる」ということ、「批判する音をぶつけられたら落ち込む」ということを、予想して身構えておくことが大切です。常にそう身構えておけば、誰からどんなことを言われても、対処が早くなります。

特に怒りの感情は、本格的にイライラする前の段階で、「あ、この人（自分のことです）は、あと一言、言われたら落ち込み始めるよ」と身構えておいて、冷静に対応することができれば、怒りの炎が完全に燃え上がる前に火を消すことができます。

「こうなったら嫌だな」「こうなったら嬉しいな」という前段階で、心を見つめて身構えておくのです。大事なことは、「この相手は、次に何を言うのだろう」と相手の話に意識を向けるのではなく、常に自分の感情に意識を向けておくことなのです。

ブッダも経典の中で、このように言っています。

２　聞く

「……声を聞いて欲望や怒りの衝動エネルギーを生産する人は、
自覚的コントロール力が失われ、
心がストーリーにとらわれ、それに執着してしまう。
彼には声によって生じるさまざまなストレスのストーリーが増大し、
また彼の心は、欲望や怒りによってダメージを受ける。
このようにしてダメージを積み重ねる人は、
心の平安から遠ざかると言われる。
（中略）
念のセンサーによって自覚的に声を聞くならば、
人は声に対して、欲望したり、反発したりしない。
心はとらわれず、その声に執着することがない。
このようにして、声を聞き、あるいは受け取るならば、
彼にはダメージがなくなり、ダメージが増えることがない」（『摩梨来佛経』）

コラム2

嗅ぐ

電車の中やエレベーターなどで、苦手なにおいの方が隣りにいた時……「クサッ」と思わず過剰反応してしまうことがあるかもしれません。

しかしブッダも「嗅《か》ぐときは嗅いだままにしておくこと」と言っているように、心をコントロールするためには、嫌なにおいに関して過剰反応するのではなく、「これはあるにおいが鼻を刺激して、それに怒りを感じているだけ」と認識してみましょう。

「怒りによって自分の苦が増す」→「怒りの業が増えてさらに苦が増す」→「これはただのにおいにすぎない」と、においへの過剰な反応を手放していくことです。

嗅覚《きゅうかく》は反応が早い代わり、慣れるのも早いのが特徴のように思われます。すぐ慣れて無感覚になる。慣れるということは興味を失う「無知」の煩悩が働きやすいということです。

特に他人のにおいには敏感でも、自分のにおいには慣れて鈍感になりやすいもの。動物を飼っている家はその動物特有のにおいがしますが、住んでいる本人は気づいていなかったりします。何日か家を空けて帰宅した時、ドアを開けた瞬間にどんなにおいがするかを確認してみましょう。

口臭も同じです。古い言葉で「怒る」は「胃刈る」と当てます。怒ることで胃を刈るようなダメージを与えるということです。ストレスが多い現代人は、胃酸過多のせいで口臭がする方も多いのですが、自分の口の中のにおいほど自分で気づきにくいもの。口臭で人に迷惑をかけていないかどうかを注意深くチェックするのは大事なことです。

もしも香水をつけたいのなら、化学物質の香料ではなくグレープフルーツやラベンダーなどの天然素材から抽出されたエッセンシャルオイルを薄めて用いるのがお勧めです。お香なら白檀《びゃくだん》や沈香《じんこう》などの天然のものが良いでしょう。

しかし、何より大切なのは、食生活を見直して、できるだけにおいをコントロールすることです。

私がベジタリアン生活をしていて感じるのは、体臭や口臭、排便臭も含めて、自分のにおいがどんどん薄くなっていくことです。その意味でも、精進料理はお勧めです。

肉を食べるとしても、肉の比率を少なめにして野菜を多めにすれば、体から排出されるにおいが薄まることでしょう。

3　見る

視覚に過剰な刺激を与えるものが、現代にはますます増えています。明治時代以前の日本人がいまの映画やテレビやゲームなどを見たら、内容以前に目がチカチカしてしまって見ていられないことでしょう。

できるだけ、大きな刺激のあるものを好きこのんで視界に入れるのは避けたほうが良いでしょう。刺激的な映像に慣れてしまうと、初対面の人の顔など刺激の多いものであれば集中できるけれど、自然の風景や、いつも会っている人の表情など淡い刺激のものには興味が持てず気が散りやすくなってしまうからです。

では、何をどう見るべきでしょうか。「見る練習」にこだわってみましょう。

刺激の強い視覚は煩悩を育てやすい

仏道的観点からはっきり申せるのは、怒りを喚起させるようなもの、心を混乱させるようなものは見ないほうが良いということです。乱雑になった部屋よりあまり物のないスッキリした部屋を、ひどい人ごみよりは静かな自然の風景を見たほうが良いでしょう。

また、テレビや刺激の強い映像はあまりお勧めできません。ホラー映画はもちろん、ニュースも人目を惹《ひ》くような異常な事件やネガティブな事柄ばかり取り上げます。バラエティー番組やお笑い番組も攻撃的です。人を叩《たた》いたり、どついたり、ひどい目にあわせたり、ひどいことを言って笑う。人をバカにして笑う。それは見ている側の怒りや攻撃性、「慢」の欲などを誘発します。

シュールな発言で笑いを誘うということもあります。なぜシュールな発言がおかしいかを分析してみると、情報が通常の結合をしていないからです。通常ではあり得ない事柄と事柄が結びつき、おかしみを感じさせている。そういう情報を無自覚に浴び続けていると、意識下で心が混乱し、記憶の結合がおかしくなり、人から聞いた考えを自分が思いついたかのように思い込むといった「無知」を育てる傾向が強まります。仏道的にお勧めするのは、やはり**欲とか怒りを喚起するものではなく、ニュートラルなものをしっかり見る**ということです。

たとえば歩いている際にも、周囲の景色に無頓着《むとんちゃく》なままでいるのではなく、自分の視界が自身の移動とともに細かく変わっていく様に特に注目してみましょう。歩く時に「見えている」景色を、かなりの注意力や集中力で「見ている」景色に変えてみるのです。そうすると、実は手近に新鮮な刺激があることがわかります。

「いま、看板が見えている、いま看板が近づいて見える、いま見えなくなった」と相当に注意深く詳細に見ていますと、いつも見ているような一見つまらない景色が新鮮に見えるだけでなく、集中力が増します。さらに普段は見落としているような細かい差に敏感になるので、認知力や注意力が増し、心が明晰《めいせき》になってきます。

見ることによって、自我が強く刺激されるようなものも避けたほうが良いでしょう。たとえば、携帯電話のメールやアドレス帳、自分の年収がわかる給与明細や、貯金額がわかる通帳を何度も見たりすることです。それを見ることによって「自分はこれだけ価値があるのだ」という刺激が生じ、短期的には良い気持ちがしたとしても、「人に認められたい」「認められるべきだ」という「慢」の欲が増えていきますから、長期的には自分に害が及びます。

一方、「自分はたったこれしか価値がないのだ、がーん」と思うことで、怒りが増えます。

心はどうしても、刺激による短期的な快楽を求めてしまいます。当面の刺激を得たい、刺激的なものを見て気持ち良くなりたいという錯覚に負けてしまいそうになりますが、長期的に考えれば、その行為は自分にとって毒です。

自我やプライドが強く刺激されるようなものを見るのは、必要最低限にとどめ、何度も見たがる衝動を抑えたほうが良いでしょう。

「私は苦しんでいるのに、相手は苦しんでいない」の誤解

先述しましたが、対人で話をしている時は基本的に相手を見ることが大切です。それは礼儀上の理由だけでなく、相手の表情を見ることによって、相手の苦しみや煩悩

がわかるからです。

相手は直接の言葉や行動には出さなくても、怒りの煩悩や欲の煩悩は、必ず表面に出てきます。出る場所は、顔が最も顕著です。

相手を見るポイントは、目がきょろきょろしているか、定まっているか。定まっていたとしても、下を向いているのか、こちらをちゃんと見ているのか。それまで定まっていた視線が急に落ち着かない感じになることもあります。

そうした時は、相手の心の中が思考のノイズにより占領された一瞬です。チラっと目が違う方向を向いた時や表情が曇った時も、煩悩が出てきた時です。

また顔の筋肉も見ておくと良いでしょう。頬《ほお》の辺りが緊張しているかいないか、何かをごまかそうとするような作り笑いを浮かべていないか、眉間《みけん》にシワが寄っているかいないか。眉間のシワは案外、本人が自覚していなくても寄っていることがあります。

顔の表情が大事なのは、相手の心の動きを敏感に察知できるからです。「この人は、言葉に出していないけれど、いま苦を感じたな」とわかります。すると、こちらは相手の変化を無視してまで、同じように話すことができなくなります。話の流れや方向

3 見る

を軌道修正したほうが良いというシグナルになるのです。

顔だけでなく、身体の動きも重要です。話に集中している時はあまり動きませんが、集中力がなくなって散漫になってくると身体がよく動き、姿勢が崩れてきます。手をいじったり、指を動かしたり、貧乏ゆすりをしたり、身体を伸ばすなども、散漫になっている、あるいは緊張しているなど相手に煩悩や苦が出ている証拠です。

人と話していて、何となくすれ違っているな、何か違うなと感じることがあるでしょう。そんな時も相手をしっかり観察していれば、相手を背後から操っている苦痛が見えてきますから、軌道修正できる余裕が生まれ、とっさに対応できることでしょう。

相手の苦のサインが見えれば、こちらにはそれを和らげてあげるような形で動こうという慈悲の心も生まれてきます。

反対に、相手が苦しんでいることに無自覚のままですと、相手がこちらの話にあからさまに退屈した態度をとるようになったり、否定的な言葉を投げかけてきたりします。そうなってから、ようやく相手の苦に気がつくのです。

そうして相手の苦に気づかされると、たいてい人は怒ります。「こちらの話をこんな態度で聞くなんて、失礼な人だ」というように、相手が加害者で、こちらが被害者だと思ってしまいます。私は苦しんでいるのに、相手は苦しんでいない、と。

しかし、本当は先に相手に苦が生じたのです。相手はこちらの犠牲になっている被害者であるということが理解できれば、その苦しみに追い打ちをかけて腹を立てるとか、相手を攻撃したいといった気持ちは薄れてくるでしょう。

観察結果を自我にいちいちフィードバックしない

相手の苦を観察するうえで最も大切なことは、あくまで客観視するということです。つまり、観察の結果を、自我に還元させない、ということです。

たとえば、人は話を聞いている相手がつまらなそうな顔をしていたら、つい、「ああ、この人は自分のせいで、つまらない思いをしている」と思ってしまいがちです。

しかし、それは常に自分の評価を気にする「慢」の煩悩なのです。自分の話を聞いていない人がいたら、それによって自分がどう評価されているかと思うのではなく、冷静に相手の苦を認識するだけにとどめるのです。よそ見をしているこの人は、いま苦しんでいるのだと認識するだけにとどめ、自分の感情にフィードバックしない。そして、単に相手に苦痛が増えたから、それを取り除こうという心持ちに持っていくよう心がけておく、ということです。

あるいは、「この人は私の話をちゃんと聞いてくれてない、失望した」と相手を責めるのでもありません。単に、「この人は、私がここにいて、話をしていることによって、いま苦を味わっている」と認識し、話し方を少し工夫して変えてみるとか、これまでの話をいったん中断して、内容を変えてみるとか、相手のその苦を軽減させるために、自分にいまどんなアプローチができるのかを考えることです。

観察した結果を、自分の中の「認められたい、受け入れられたい」という「慢」の煩悩や、「この人は私の話を聞いていないから、許せない」という怒りの煩悩などに、いちいちフィードバックしないことです。

ただし、それはすぐにはできないかもしれません。

大事なプレゼンテーションなどで、とりあえず動揺したくないのであれば、あまり神経質にならずに、いま自分にできる対策をすることも有効です。そこにいる全員の心を何かしら動かせる内容に軌道修正できれば良いのですが、もしうまくいかなければ、自分の話に興味のなさそうな人は背景化させてしまうという手段です。

たとえばプレゼンテーションで発表している間、下を向いてしまっている人もいれば、目を爛々《らんらん》と見開いてこちらを興味深そうに見ている人もいるとします。

こちらに興味を持ってくれている人がいるなら、その人が最後まで興味を持ち続けてくれるかどうかをチェックし、少なくとも最初から最後まで十分な興味を持って聞いてくれているということが確認できたら、一応、ひとつの完結した話をやりおおせた証拠ということです。そうであれば、周囲の多少温度差がある人たちにも届きやすいでしょう。

しかし、その人の興味すら途中でなくなってしまうようでしたら、さっさと軌道修正したほうがよろしいでしょう。

ポイントは、サンプルを選ぶ際、できれば自分にとって都合の良い人を選ばないことです。個人的利害関係で自分にくっついている人や、むやみにおだてる人など、客観的な距離間をとれない人は避けたほうが良いでしょう。その人たちに重きを置くと、他の人に広く届きにくくなります。

しかし、根本的には、こうしたことは現実や他者の苦から微妙に目をそらしていることになるので、とりあえずの手段でしかないことを心にとどめておいてください。

お釈迦様の半眼をマネして集中してみる

そもそも、あがり症の方がなぜ人前で話すことに緊張し、苦痛が生じるかというと、自分が失敗することで、「ダメな人だと思われたらどうしよう、失敗してマイナスの評価を与えられたらどうしよう」という「慢」の煩悩ゆえの思考が先走っているからです。**そこにいる人たちとの関係において、「自分で勝手に考えすぎて緊張している」**のです。

であるからこそ、あがり症の方は、相手が一人であれ複数であれ、人と対面した時に相手をよく観察することによって距離感をつかめれば、余裕を持つことができるようになってきます。相手のふるまいや表情をよく見ておくことで、相手の感情をズームアウトしたような感じ、いわば鳥瞰図的《ちょうかんず》に全体を見渡している感じになります。

繰り返しますが、そのうえで、感情にはフィードバックしないということです。

寺院などで半眼《はんがん》の仏像をご覧になったことがあると思いますが、半眼のお釈迦《しゃか》様は見ているのではなく、強い集中状態をつくりだそうとしているのです。

瞑想《めいそう》には、目を完全に閉じてしまう方法と、目を半ば閉じて視界を狭めるという二つのやり方があります。見るという行為には大変大きなエネルギーを使いますので、見るという機能を全部、あるいは半分シャットアウトして、強い集中力を形成するのです。

自分の心が乱れそうになった時、いったん視界を遮断して、自分の心の動きに集中し直す。これは一般の方にも使える、心のコントロール法です。

動揺した時や緊張してしまった時、いったん目をつむるか半眼にするなどして呼吸に意識を向けてみます。たとえばプレゼンテーション中に緊張して頭の中が真っ白になってしまった時は、思い切っていったん目を閉じ、呼吸に集中してみるのです。

緊張した時は、うまくいきたいという欲に駆り立てられています。その煩悩が引き寄せるドキドキ感ゆえに思考のノイズが心を占拠してしまい、頭の中が真っ白になり、今度は「このままではまずい、何とかしなくては！」という怒りの思考が暴走してしまいます。

この反射的思考を止めるべきなのです。焦っても、怒っても、どうにもなりません。いったんその焦りを止めるべく、いまやっている行為を中断するのです。

何を話すべきか忘れてしまった時は、目を閉じて視覚情報をシャットアウトして集中すれば、何を話すべきだったかが戻ってきます。

「どんな時でも、そうしたいと考えたら、そうなる」というのは間違いです。「そうしたい」という考えは煩悩ですから、そう思えば思うほど心は空回りし、何を先に言うべきか混乱して頭が真っ白になるだけです。

まずは一度やっている行為と思考を中断して、クリアな原点に戻ることが大事です。

自分の表情にも常に自覚的であること

これまで、「見る」ことを話してまいりました。ということは、実は私たちの姿も「画像」として相手の目に映り、こちらも人に見られているということです。

自分の身体の動きすべてが常に人に見られていて、相手に微妙に影響を与えている、ということに自覚的であることが、まず心構えとして重要なことでしょう。

こちらのちょっとした目の動きや顔の動かし方によって、たいていの相手は自我にフィードバックしてしまい、より不安になったりより安心したりしているのです。

ですから人と対面している時は、顔を緊張させるとか、シワを寄せるとか、目をきょろきょろさせるとか、しきりに身体を動かすことはしないほうが良いでしょう。

人と会うごとに、自分の姿が映像として相手の目に映っていて、その映像が相手の心を刺激していることを、常に心の片隅においておくのです。

たとえば恋人同士でいる時に、他の異性をチラチラ見たり、いろいろなものに視線があちこちさまよったりしていると、相手を否定しているつもりなどなくても、された方は、自分の話が聞いてもらえていない、注意を払えてもらえていないと寂しい気持ちになります。二人でいる時には、なるべく相手のことに集中していてあげる、見ていてあげるというのは、相手を受け入れてあげる意味でも大切なことです。より厳密には、「『こちらが相手を見ている』ということを相手の目に見せてあげる」ということになります。

反対に、恋人の心がいま少し離れたなと思ったら、それを言葉で責めるのではなく、手をつなぐとか抱き寄せてみるとか、身体の触れ合いによって相手の注意を引くと、相手もこちらへの意識が強まり、散漫な状態からこちらに意識が戻りやすくなるでしょう。

また、たとえ仕事の人間関係でも、友人関係でも、お互いが落ち着いている時、お互いの言葉数は減って、口調はゆっくりになります。

穏やかな気分で場所を共有している時、お互いを受容していることを伝えるのは、必ずしも言葉ではないかもしれません。リラックスしている表情を相手に見せることや、相手を穏やかに見つめること。それほど言葉を費やさなくても、自分はこの人に受容されているとわかり合えると、お互いにとてもリラックスできます。

もちろん、これはある程度の信頼が築かれたあとの話ですが、自分が穏やかな表情になっていると自覚することで、ますますその表情は穏やかになります。もともとないものを無理やり作ろうとすると嘘《うそ》っぽくなって良い影響は与えませんが、自分の表情に自覚的であることで、ポジティブな感情をより強めることはできます。

その反対に、何か言われて、ついムッとした顔をしてしまう時もあるでしょう。その際になすべきことは、こわばってしまった表情を無理に操作しようとすることではなく、その瞬間に自分の怒りの感情に自覚的になり、観察し、流すことです。

そのためにも、常に自分の表情に自覚的であるよう心がけていることが重要であると申せましょう。

コラム3

笑う

たいてい、人の表情というものは煩悩によって動きます。特に笑顔は、しばしば何かをごまかすために用いられます。うまくいかない時、苦境に立たされている時に自分をガードする側面が強いのです。

考えてみますと、人が最も幸せな瞬間というのは、すっきりリラックスした表情になっているのではないでしょうか。もしくは、穏やかな微笑です。

外国人と英語で話そうとして、うまく話せないような時、なぜか笑っていることがあるでしょう。けれど笑っている時、とても緊張して疲れているはずです。

つくり笑いは自分をごまかす「無知」の煩悩によるものです。「大丈夫、調子が良い」と繕《つくろ》いたいのに、表情と心が一致していないので、強いストレスが生じています。

常に自分の表情を意識するように努めていると、顔が変にこわばっていることに気づき、そこに苦しさを感じられるようになります。そこで、いま苦の刺激という操り糸で笑わされそうなのだと気づいて、こわばったつくり笑いをすぐにやめることができます。

反対に、目の前の相手が自然ではない、ひきつった笑顔をしている時には、その背景には必ず緊張があって、その苦痛に命令されて反射的につくり笑いをしているのだと見ておくことです。相手のうわべの言葉や笑顔に影響されずに、余裕を持った態度で接することができるようになります。

笑うというのは、刺激が強い状態です。特に大笑いしている時はかなり興奮しています。テレビのお笑い番組に人気があるのは、世の中に強いストレスがあり、笑いという、より大きな刺激を与えることによって現実のストレスを打ち消そう、忘れようとする潜在的な願望があるからでしょう。

お笑い番組はかつて、私もストレスだらけだったころは大好きでした。しかしそれらの笑いはたいてい以下の三つの毒のどれかから成り立っているように思われます。

（1）他人の失敗を馬鹿にする優越感＝「慢の欲」による笑い。

（2）ツッコミを入れる攻撃性＝「怒り」への感情移入による笑い。

（3）不条理な言葉や振る舞いにより生じる混乱＝「無知、迷い」による笑い。

つまり、ぼんやり画面を見ていると、欲・怒・迷の業を刷り込まれてしまう性質を持っているのです。そのうえテレビでは、「ここが笑いどころですから笑うべきである」と命令してくるかのごとく、サクラの笑い声が流れたり画面に文字が流れたりして、同調圧力が与えられます。考えてもみれば、笑いには「皆が笑っているのだから自分も笑わなければ仲間はずれにされるのでは」という恐怖感にもとづく、同調圧力も含まれているのではないでしょうか。

心から楽しく穏やかな気持ちで笑っているのであれば良いのですが、嘲笑《あざわら》いや苦笑などは、人を攻撃して、怒りを笑いに変えている状態ですから、よく観察してみると、その表情はひきつり、笑い声は甲高く下品なものになっています。

たとえば周囲の人々が誰かをバカにして笑っているような時も、人の表情を観察し、一歩引いてズームアウトしておけば、「この人たちはいまこういう煩悩で、嘲笑《ちょうしょう》しちゃっているのだな、しょうがない」という慈悲の心持ちが生まれますので、一人ムッとしたり、あるいは周りに合わせるためにつくり笑いするでもなく、穏やかな、うっすらとした微笑が生まれることでしょう。

常に自分や相手の表情をよく観察しておけば、心に余裕が生まれ、心に余裕ができれば、自然と穏やかな微笑が浮かびます。自分がつくり笑いや大笑いをしていることに気づいたら、より穏やかな微笑の方向に持っていく。少し口角を上げて穏やかに微笑《ほほえ》む程度であれば良いでしょう。

無自覚に大きな刺激に飲み込まれてしまうクセを、止める練習になります。

また、人をバカにして笑う時は相手を攻撃していますが、自分の失敗を笑う場合も、同じような心理です。

本当は失敗したくないのに、うまくいかない。それではプライドが傷ついて悔しいので、「バカにする自分」と「バカにされている自分」の二つに自分を分裂させるのです。そして、悔しい、これは嫌だと思った瞬間、バカにする自分のほうに立っています。

その行為によって、失敗していることをきちんと認識して笑えている、頭の良い自分でいたい、という煩悩による自己イメージを持ちたいのです。

このように、たいていの笑いには現実を忘れようとする「無知」の妄想を育《はぐく》む性質があるように思われます。それとともに、目にも止まらぬ速度で、「ごまかし」の思考や「バカにする」思考のノイズが増殖してゆくということに、気をつけてまいりましょう。

自らの表情をチェックしつつ、緊張を取り除いた柔らかい微笑を浮かべていたいものです。それがつくり笑いになってしまわないためには、欲や怒りの煩悩を鎮《しず》めているのがもっとも肝要なことと、付け加えておきましょう。

4 書く／読む

インターネットや電子メールの出現によって、ここ二〇年ほどでコミュニケーション方法は劇的に変わりました。人とつながっていたい、人に受け入れられたい、という欲求が、巨大な市場《マーケット》を形成して、そこで巨額のお金が動いているのです。

本章では、インターネットやメールを含め、書くこと、読むことについて考えてみましょう。三〇ページでご紹介しました六門のうち、主として「目」により「思考」が刺激されるという意味では、「見る」の章もご参照ください。

「受け入れられたい」欲求がお金を生み出す

4　書く／読む

前述の通り、十善戒には「不綺語《ふきご》」つまり無駄話をしないことが含まれています。無駄話とは、基本的に、相手にとって有意義でない話、それを聞かされた側が社交辞令的な相づちをしなくてはいけないものとされていますが、現代は、ますます無駄話が増えているような気がいたします。

もちろん時には、社交のために無駄話も役立ちますが、無駄話ばかりだと有意義な会話や生産的な会話をする暇がなくなってしまいます。ゼロにするのは無理としても、いまより三〇％ぐらい減らしてみる努力をしても良いのではないでしょうか。

こうした無駄話の背景に何があるかというと、「人に受け入れられたい」「人に嫌われたくない」という「慢」の欲です。特に最近は、この「人に受け入れられたい」欲求が、お金を産むものに大きく結びついているようです。携帯電話や電子メールもそうですし、インターネット上のウェブログやコミュニティーサイトも話題になっています。

ウェブログ――自分が気になったインターネットサイトやニュースの引用元を記録するのが本来の役割でした。ウェブログ作成のソフトウエアが出現し、難しい言語を知らなくても簡単にページが作れるようになり、一気に広まりました。

そして日記形式のものが増え、次第に自分を表現するツールになっていきました。

しかし二〇〇八年一月の総務省の調査によると、ネット上で公開されているウェブログのうち、一か月に一回以上記事が更新されているものは、全体の二割弱しかないそうです。

結局、ウェブログを始めたものの、更新ができなくなってそのまま放置している人がたくさんいるということです。

「人に見てもらいたい」と思ってウェブログを始めても、特別な面白さや個性がないと見てもらえません。日記に対する他者からのコメントもつきません。

せっかく書いても、誰も認めてくれない。寂しい、むなしい……だから、書くせいでプライドが傷つくくらいなら放っておこうとなるわけですが、そもそも、そこに煩悩を育ててしまう側面もあることを自覚しておいたほうが良いかもしれません。

自分が書いて日記を公開する、そこに「誰かに認められたい」「自分のことを知ってほしい」という欲求が生じ、「まだそれが実現してないよ――」と思う苦が生じます。

そこでコメントが五件ついたら、その時は嬉《うれ》しく感じるでしょう。「誰かに認められたい」という苦が一瞬だけ消えるので苦が減って嬉しいと感じるのです。

しかし、そこでいったん苦が消えても、そのあとに、「次もよい文章を書かなきゃいけないけれど、よい案が思いつかない」「ちゃんと書けるだろうか」という苦や、さらには、五件のコメントでは満足できなくなって、「もっとコメントがほしい」という苦も生じてきます。

最大の問題は、こうです。最初にドキドキ不安を感じながら苦労して書いた「苦」が一〇ポイントなら、人に見てもらえた時に一〇ポイントの苦が消えた分、一〇ポイントの快楽を錯覚します。すると心は無意識裡《り》に「『苦』を感じたおかげで快楽を味わえたのだから、不安や苦労の『苦』は良いものだ。もっと苦しめばもっと快楽が味わえるなら、もっと苦しもう」と洗脳されてしまうのです。したがって、誰も望まないのに、自分から進んで苦＝ストレスを増やしてしまうのです。三〇ポイントの「苦」で、良い文章が書けるかどうか不安になれば、その苦が三〇ポイント消えた時、心が「三〇ポイントも快楽を味わえたッ」という幻を作り出すのですから。こうして苦を自ら雪だるま式に増やした挙げ句、やがて「いつも良いコンテンツを更新し続けて皆に評価されねばならない」というプレッシャーに耐え切れなくなると、投げ出してしまうのも当然でしょう。

そこに、ミクシィに代表されるソーシャル・ネットワーキング・サービス（SNS）が台頭してきました。これは不特定多数の人に公開されておらず、お互いが承認し合わないとページを見ることができません。友達の友達と仲良くなれる、どんどんつながり合えるという特性を持っていますが、結果として一番大きかったのは、「ウェブログほど面白くなくても大丈夫」という特性だったのではないでしょうか。

日常生活の中で、毎日そうそう面白い日記や記事など書けませんが、SNSなら登録した友達が見てくれます。友達が自分のページをちゃんと見ているかどうか、訪問履歴のページを見ればすぐわかりますし、コメントを書いてくれているかもすぐわかるので、誰かに確実に見てもらえていて、受け入れられている、幸せだ、という幻影を味わうことができます。そのため、SNSに参加する人の数は、ほんの一、二年の間に爆発的に増大しました。

しかし、それを得るためには、自分も友達の日記を読んで、コメントを返さなくてはいけないという暗黙裡の交換条件がつきます。

登録友達の数が増えれば、何となく友達が増えたような錯覚に陥りますが、その数が多ければ多いほど、自分の負担も増えることになります。

自分も日記をつけないといけない、さらに誰かの日記をきちんと読んでコメントをつけなくてはいけない。しかも、相手の書いていることが、自分にまったく興味のないことでも、「興味がない」という本音は書けないので自分の気持ちに嘘《うそ》をつくはめになり、苦が増えます。

それは、相手に嫌われたくないからというのに加えて、自分が他人の行動に興味がないような冷たい人間ではない、嘘をついて興味を持つふりをするような嫌な人間ではないと思い込んでいるからです。自分で自分を見ないようにしているのです。この「慚」恥の意識を持たない煩悩のことを、仏教用語では「**無慚**《むざん》」と言います。この「慚」というのは恥という意味です。

無慚とは、この恥を感じなくなっていき、良くないことを平気でしてしまえるようになる心の働きのことですから、本当は興味などないのにあるふりをすることや、自分がしている行動を見ないことにする心のごまかし行為も、この無慚にあたるように思われます。

煩悩は、求めれば求めるほど増えるもの

私も、座禅指導にまつわるお知らせや相談の受付など、長年にわたりウェブサイトを運営しています。

便利なインターネットを使いながら煩悩に飲み込まれないようにするには、どうしたら良いでしょう。

まず、ウェブログや記事を書くことがありましたら、その際の下原稿の段階は、手書きで書いてみることをお勧めいたします。

ネットにずっと接続したままにせず、下原稿の構想をまとめて、最低限のポイントを押さえてから、ネットに接続して書くのが良いでしょう。

キーボードで文字を打つと、手で書くよりもはるかに速いスピードで書けてしまいますので、高速の思考に支配されたまま、それがそのままそこに出てしまいがちのように思われます。結果として、読む側にも有用であるかどうかを推敲《すいこう》することもなく「自分がただ書きたいもの」が書けてしまいます。

もう少し書くことに時間をかけて、情報価値があるもの、人が喜ぶ、クオリティー

の高いものを書くように心がけたいものです。

また、書きたいことが一〇個出てきたとしても、取捨選択して、三つか四つにとどめておくと良いでしょう。素材が余分にできる分、他人に有用でないものは削って本当に良いものだけが残ります。つい書きたくなっても、自分の中で選択して、いわば「濾過《ろか》」した残りを大切にすることです。

避けたいのは、自分がいま「ムカついている」ことを取り上げて、あれが気に入らない、これが気に入らないと書くことです。映画やお店の悪口などは特に増えているようですが、ネガティブなことを書くと自分も興奮しますし、ある種の人々はそれに反応して盛り上がります。書くことによって、嫌なものを世の中から減らしたいと思っているのかもしれませんが、結局は自分の心に怒りのエネルギーを焼き増しさせ、ストレスを増やし、心身ともに悪影響を与えるだけです。

そうではなく、良かった映画や良かったお店のことだけ、それも読んだ方が「読んでためになったな」と思えるような情報を書くように心がけることです。**自分が好ましいと思っていることだけ書いて、ネガティブなことは絶対に書かない**ことです。

また自分のページに対してコメントやレスポンスが来ても、それに一喜一憂しないことです。アクセス数が増えても、お褒めのメールが来ても、いちいち舞い上がらない。つい嬉しくなってしまったら、「認められたい」という苦が消えた分だけ快楽という情報処理が起きているのだなと思う程度にとどめておくと、執着してエスカレートしていくのを避けられるでしょう。

反対にアクセス数が減っても、否定的なメールが来てもいちいち嘆かないことです。そもそも、アクセス数も気にしなくてすむよう、アクセス解析などもしないほうが良いでしょう。コメント欄やトラックバック欄を外してしまうという手もあります。

質問が来なくて嫌な気持ちになるぐらいなら、質問コーナーなど開かないほうが良いのです。それは結局、相手をエサにして、「相手に感謝されて自分の惨めさをごまかしたい」という自分の「慢」を満たそうとしているだけなのですから。

「人に受け入れてほしい」とか「誰かを攻撃したい」といった煩悩は、求めれば求めるほど大きくなっていき、心はどんどん歪《ゆが》んでいきます。

インターネットは、単に自分の心が疲れるか疲れないかを判断基準にしながら、距離をおいてつき合うのがよろしいかと思います。

匿名掲示板は無慚の心を増幅させる

ＳＮＳ的なものには、常に現実社会での「自分」と地続きのアイデンティティーや個性が下地にあり、皆に受け入れてもらいたい、という「慢」の欲を基本に動いています。それに対して、匿名掲示板におけるアイデンティティーは「現実社会で演じている自分」から切り離されがちです。あるいはハンドルネームを用いて現実とはリンクしないキャラクターを演じています。

匿名性が強く、言いっぱなしの掲示板は、「怒り」がけん引的な役割を果たしがちです。「誰かを攻撃したい」という怒りの煩悩に直結しやすいのです。

その心理を分析してみますと、「これは本来の自分の姿ではない」と思われる場所では、人は最も自分の本性をさらけ出す、という逆説的な理《ことわり》があります。

匿名や、ハンドルネームを用いてキャラクターを演じる時、これは本来の自分ではない、現実の自分とは切り離されている、自分はこのキャラクターを演じているだけであるという心理が働きます。「これは本当の自分ではないから大丈夫」「これはキャラだから本当の自分ではない」と思うからこそ、人を攻撃する発言を繰り返したり、性的な妄想を垂れ流したり、あまつさえ殺人予告をしても「ま、良いじゃない。これは自分じゃないんだから」と思えてしまうのです。

他人にばれないからという理由も当然ありますが、それよりも、自分がそんなにひどい人間であると自分で思わなくてすむからです。これは自分を騙《だま》すことでストッパーが利かなくなる「無慚」の煩悩です。しかも、そうやって**「これは自分じゃない」と思いつつ出している憎悪こそが普段は出せない本当の自分の姿**なのです。

掲示板に攻撃的な言葉を書き込むと、「怒り」の刺激が感じられ、その「苦」を脳が「気持ち良い」と書き直します。しかし、そうやってうさを晴らしたつもりが、自分の怒りの煩悩が刺激されて思考のノイズが増え、苦が大きくなっているだけなのです。

「快楽」というものは実在するものではなく、基本的には「苦」が減った時に錯覚するもの、苦がなくなったことを脳が楽と錯覚するだけのこと。これが仏道の**「一切皆《いっさいかい》苦《く》」**という真理です。一度、楽の味をしめると、「もっと、もっと」と、より大きな楽がほしくなって、その材料になる苦をさらに求めてしまうのです。

そして、自分の「怒り」に対して誰かが同意してくれると、ここでも「慢」の欲が出て自我が刺激され、中毒化してゆきます。あるいは反論されても、「くそーッ」という怒りの刺激によってさらに中毒化を深めるのです。

こうした書き込みを見るだけでも、見た人の怒りが影響を受けて増幅されますから、むやみに近づかないほうが身のためと申せましょう。

携帯電話が普及しているため、いつでもどこでも、「自分の日記が何人くらいに見られているか」「自分の文章がどれくらい賞讃されているか」をチェックできてしまい、その都度、自我がバリバリと電気ショックを浴びるように刺激を得ることになります。もしも誰も見てくれていなかったりコメントが減ったりするのを見ると、「自分の株が下がったーッ」という負の刺激を得ながら、いずれにしても自我（の苦）を肥大させてしまうのです。

このようにして、「他人に見られたい」という欲求を追求することで時間も無駄になり、自我肥大を招いてしまいがちであるということ。それをわきまえて、アクセス数やコメント数をチェックするクセがついているなら、そのクセを止めようと試みることをお勧めいたします。

メールでも、お互いの自我を刺激しない

電子メールの文章を書く時も、きちんと推敲をしましょう。自分が伝えたいことの中心は何か、それが効果的に伝わるかどうかをきちんと読み直します。書くことは話すことと違って、時間をたっぷりかけることができるというメリットがあります。

しかし反対に、書いた文章は残って相手が読み直すこともできますから、相手に与える影響は、良いものも悪いものも大きくなります。メールに書いた怒りの感情はいつまでも相手を刺激し続けます。

せっかく時間をかけて書き直すことができるのですから、早く出すことばかり考えずに、自分の文章が相手に与える影響について自覚的になりましょう。

メールも、大事なものなら、話のポイントを手書きでまとめてから文章化することをお勧めいたします。

その際、間接的な自慢や自分をわかってほしいという欲の感情が頻繁に文章に入っていないかどうかをチェックすることです。

相手を責めているような怒りのニュアンスが入っていないかもチェックします。

「この前、私はあそこに書類を置いておいてくださいと言ったはずです。なのに、書類がないのはなぜでしょうか」と書いてしまっていたら、「はッ、ここに怒りの思考が混ざってる」と気づいて、書き直してから送信しましょう。単に「書類がありませんけれども、どこにあるか教えてもらえると幸いです」程度にとどめておく。たとえ内容が正論であっても、文章内に自分の怒りや「慢」が含まれているかどうかは、きちんとチェックしたうえで取り除いたほうが良いでしょう。


また、電子メールでは、「お返事が遅れて、すみません」「すっかりご無沙汰《ぶさた》してしまって、申し訳ありません」という言い訳から書き出す方が多いようです。

もちろん相手の方の性格にもよりますが、こうした書き方は相手のプライドをほんの少し、傷つけてしまうことがあるように思われます。

そんな意図はないかもしれませんが、「あなたは私の返事を待っていただろうけれど、返事をしなくて申し訳ない」というニュアンスがかすかに入ってしまいますから、受け取る側は無意識的に、自分が放っておかれるような人間で、しかも返事が来ないことに翻弄《ほんろう》されていたのだ、という自己イメージを見せられてしまいます。

人は自分の価値評価の上げ下げに敏感ですから、その方があなたのお返事を待っていたにしろ、待っていなかったにしろ、「別に、私はこの人の返事なんて待っていなかったのに」と、ちょっとした不快を感じてしまう方もいるかもしれません。

なるべく相手の自我を刺激しないというのが、人間関係におけるたしなみです。

メールでいきなり本題に入るのは無粋で、何かクッションが必要と感じられる時には、私はたいてい天候や周囲の状況について記すことにしています。

それも、「雨が続いて、鬱陶《うっとう》しいですね」とか「寒くて嫌ですね」などの価値観や評価を入れるのではなく、事実のみを書くようにするのです。

「雨が降って、少しずつ湿度が上がってきた部屋からメールを書いています。そちらは快適にお過ごしでしょうか？」とか、「いま、時計の針がちょうど一二時をさしました」とか、「満月の晩に、失礼いたします」とか、まるで昔の小説に出てくる手紙のように、事実そのままを記します。

あまり意味のない一文ですが、単なる挨拶《あいさつ》なのですから、必要以上に相手の自我を刺激しないことも思いやりと言えるのはないでしょうか。

4　書く／読む

携帯電話メールなどでは、自分の出したメールにすぐに返事が来るか、あるいは相手からたくさんメールが来るかどうかで、愛情や友情を確かめ合う方も多いでしょう。

そうして、ことあるごとに携帯電話をチェックしたくなってしまうかもしれません。「メール着信」という視覚映像によって自我を刺激し、メールが来ないなら来ないで「がっかり」と自我を刺激し、メールチェックに時間を浪費するクセがついてしまわぬよう、注意しましょう。そのためにはまず、自分が携帯電話をチェックしたくなる時、その衝動をいったん抑えてみて、チェックする頻度を減らしてみることをお勧めします。減らそうとしても止められないなら、すでに中毒化しているということですから、「がーん」とショックを受けて、その依存から抜け出そうと試みるとよいでしょう。

書くことで、己の感情を見つめてみる

インターネットやメール以外に、自分の考えを整理するためにも、基本的に書くという行為はお勧めです。特に、自分が読むためだけの日記（本来、日記とはそういうものですが）をつけることをお勧めいたします。

人に見せるネット上の日記などは、正しい自己認知のために役立たないどころか、歪《ゆが》めてしまいます。取り繕《つくろ》わず、あるがままに書ける方は良いのですが、たいていは無自覚に、人に受けることを狙《ねら》って大げさにしたり、自分の評価が下がるようなことは書かなかったり、何となく自分の都合の良いようにつくり上げてしまいます。

本来の人に見せない日記は、正直に、自分の感情の流れを書くことをお勧めします。それも、単に「今日、イライラした」だけではなく、「○時ぐらいに、こういう理由でとてもイライラしたけど、一時間ぐらいしたら、こういうことがあって嬉しくなった」と詳細に書くことです。

「あんな店、潰《つぶ》れれば良いのに！」と感情的に書くのではなく、「あんな店、潰れれば良いのに、と思って私はイライラした」と書くのです。怒りそのままをぶちまけるのではなく、怒りを持った自分の感情や状態をレコーディングするということです。

面倒であれば、もっと単純でも良いのです。たとえば今日あった出来事の横に、喜怒哀楽に強弱をつけ、その度合いの強さによって「怒小」「怒中」「怒大」などとランク分けしてみてはいかがでしょうか。

「○○さんとご飯を食べた時に、嫌みを言われてイライラした。〈怒中〉」

「あとでそのことを思い出して、さらにイライラした〈怒大〉」

しばらくしてから読み返してみますと、半年間や一年間を通して自分がどのような感情の流れをしていたのかがわかって、客観的に自分の感情を見ることができ、次第に制御しやすくなってきます。

書くということでつけ加えておきますと、たまには手紙を書くのも、手紙をいただくのも、非常に新鮮で気持ちの良いものです。

コラム4

計画する

何かを続けるために大切なこと――それは計画することです。

「計画する」というと、頭を使うことになりますから、「考えない」ことを説いているこの本の趣旨と逆じゃないか、と思う方がいるかもしれません。

しかし最初に計画を立てることによって、その計画通りにことを進めれば、あれこれ考えねばならない時間が少なくなるため、結果的に身心に良い影響を及ぼします。

たとえば、メールを書こうと思っていたのに、インターネット上のニュースを読み始めてしまって、気がついたら四〇分もたっていた。何となく疲れたから、お茶を淹《い》れて飲んでいるうちにまた時間がすぎ、当初の予定が狂ってイライラしながら書いていたら余計に時間がかかったうえ、ひどい文章になってしまった、なんてことはよくあることでしょう。

人の性分は、基本的に自分の計画通りにいっているか、いっていないかで、気分が良くなったり悪くなったりします。ですから、最初に思った通りにやるべきなのです。

にもかかわらず、それができないのは、欲があるからです。

その欲に流されたい、すると気持ちが良いのではないかと錯覚するのですが、結果的には本来やるべきことができず、心の奥では「本当はあれをすべきなのに」とか「まだあれをやっていない」などと思考のノイズが響きわたりますから、苦の総量が増加します。ですから、計画したことは貫徹するということを、ひとつのエクササイズとして心がけてみましょう。

1、最初に計画をじっくり立てる

2、それを貫徹しないと、あとで嫌な思いをすることを、あらかじめ自覚しておく

3、それを邪魔するようなものは見ない訓練をする

最初の計画はかなりきっちり立てることです。この時間内にすべきこと、必要最低限のことをリストアップし、どの順番にしたら効率的にできるかをしっかり考える。そして順番を決めたら、基本的にその順番は変えないことです。

たとえばAの作業に三〇分と計画したら、全部終えていなくても、とりあえず三〇分でAの作業は切り上げます。もっとやりたい気持ちに流されず、計画に沿って次の作業Bに進み、片づかなかったAは後からやり直す。計画通りに仕事が終わらなかったとしても、一応、ルール通りに次の仕事に進んでいるわけですから、ダラダラと続けずに「三〇分で切

り上げた」スッキリ感も多少は感じられ、メリハリも出てきます。

大事なことは、しっかりと計画を立てること。つい途中で「この順番で良かったか」とか、「やっぱりこれを先にしよう」などと余計な思考が出てきにくくするためにも、先に合理的な計画を立てます。計画を立てるだけの時間を一〇分とか十五分、しっかり取ることです。急いでいる時は、つい計画を立てないまま作業を始めてしまうかもしれませんが、自分の計画がこれで良いのかと迷いながら作業を進めると効率が落ちますから、最初にきちんと計画する時間を取ったほうが、結果的には損をしません。

また、途中でインターネットのニュースやウェブを見たいのであれば、最初から二〇分などと時間を決めておいて、それ以上にならないようにします。休憩や無駄をしても良い時間を決めておいて、しっかり守るのです。

そのためにお勧めなのは、キッチンタイマーです。携帯電話やパソコンのストップウオッチ機能ではなく、独立したタイマー機能のほうが良いでしょう。他の機能がついたものだと「携帯電話で時間を見る」というのを口実にして、ついつい携帯電話のメールをチェックしたり、余計な時間を取られてしまうからです。

この仕事は一時間と計画を決めたら、一時間後にタイマーが鳴るまで、計画のことは考えずに仕事に没頭します。計画を考える時間と、計画のことを考えずに没頭する時間のメリハリをつけるということです。

2の「貫徹しないと後で嫌な思いをすることを、あらかじめ自覚しておく」ことを下敷きに、自ら定めたルール通りに進めていきます。そして重要なのは、ルール通りにいかず嫌な思いをしたときは、「ほーら、ルールを破るから嫌な思いをするでしょう」と学習し直すきっかけにすることです。

3は、仕事でパソコンを使う時も、必要な時以外はネットにつながないとか、情報の多いページは「ホーム」に設定しないなど、最初から避けるやり方もあります。

しかし、思考の流れに負けてしまわないエクササイズとしては、「あるけど見ない」訓練をするべきです。メールを書くと決めたなら、パソコンを立ち上げてもメールのボタンだけを見て、メールだけにぐーっと集中する訓練をします。

計画が遅れるのは当たり前、誘惑に引きずられるのは当たり前と思わずに、最初の計画を守り、気分によって順番を狂わせない練習を続けますと、単に仕事がはかどるだけでなく、本来すべきことがあるのに、それより刺激の強いものに意識がそれてしまうという心のクセを修正する練習にもなります。思考や欲、怒りが、瞬間的にバッとわき上がってきても、そこでとどめて、いますべきことに心を戻すことができるようになってくるでしょう。

5 食べる

痩《や》せるための健康食品や器具、ダイエット本やＤＶＤなど、ダイエットに関する商品は尽きることがありません。しかし私は、現代の日本人はたいてい食べすぎていると考えています。適切に食べる訓練をしていないことが問題の本質なのです。

本章では、適切に食べる練習について考えてみましょう。

「してはいけない」と思えば思うほどしたくなる脳の不思議

なぜ現代人は食べすぎるのか。それは、満足することができないからです。

ある程度、空腹になってから食べれば、基本的な生命の仕組みにおいて満足感は得られるはずですが、そもそもまっとうにお腹《なか》がすいたという状態になる前にお菓子を食べてしまったり、食事の時間が来たからご飯を食べてしまったりするのです。

さらに、食べる目的が単に空腹を消すことではなく、美味《おい》しいものを味わうとか、食べている間は嫌なことを忘れられるからストレス解消になるとか、そういったことで食べている方がとても多いように思われます。

食べた後は消化のために血液がお腹に回りますし、お腹もいっぱいになってあまり深くものを考えられなくなります。そうして悩みを麻痺させるためにお腹いっぱいになるまで、またはそれ以上に食べてしまうのでしょう。

そして、食べすぎているから、どんどん太っていきます。結果として、ダイエットが必要になってきます。

しかし、「痩せたい」と考えれば考えるほど、ダイエットは実現しにくいものです。もともとストレスがあって、それをごまかすために食事をしているからこそダイエットが必要な体形になっているのです。食べることでストレスをごまかしているのに、無理やり止めようとすると、ストレス解消のツールがなくなってしまいます。

これまでストレスを麻痺させるために「食べたい」と思うクセがついていて、しょっちゅう食べたいと思うのですが、その都度「いや、食べてはダメだ」と否定するので、さらに新しいストレスが生じているのです。もともとストレスがあり、それを食事でごまかしていたのに、「ごまかしてはダメ」という否定がしばしば入るので、余計にストレスは増幅してしまいます。そこで反動が生じ、時として、以前より食べてしまうというリバウンドが起きるのです。

問題は、意識がどこに向かっているかということです。ダイエットしなきゃ、と思い始めると、人はむしろ食事のことばかり考えるようになります。本当は**食事のことを考えないことがダイエットには一番理想的**なのに、常に「食べちゃダメ、食べちゃダメ！」とネガティブに食事のことを考えてしまいます。

これも脳の不思議のひとつと言えるのではないかと思うのですが、何かをしてはダメと繰り返し思った回数分、そのことについての考えがこびりつきますから、そのことにさらに興味が出てきてしまうのです。それが心に激しく染みつくのです。

ですから、ある時、たがが外れてしまうと、いままでネガティブに執着していた食事について、爆発的な衝動を抑えられなくなってしまうのです。

「足るを知る」訓練で自分の適量を知る

このように、長い目で見ると、食事制限の方向性ではうまくいくはずがありません。なすべきことは、食べている際に感じられる味わいや食感を、ぼんやり感じるのではなく、しっかり感じることです。つまり「味わう」ということです。

普通に「味がしている」状態では、実際の味わいや食感の実感は百分の一もないでしょう。食べながら「これの料理名は……」とか「このあと何しようかな」とか「今日は嫌な一日だったな」などと考えごとに占領されて、味わいを背景化してしまっているからです。たとえば、煮物に何が入っていたかもわからないまま、流すように食べてしまうと、心が十分に「食べている」と認知できないので苦しみが発生し、「足りない足りない、もっと入れなさい」と命令がくる。そういう食べ方を続けていると、情報を認知しないクセがついてしまいます。

普段はとにかく詰め込んで流し込んでいるので、食べた実感がまったくせず、満足することができない。結果として食べすぎてしまいます。

裏を返せば、よく噛《か》んでしっかり感じながら食べれば、本来、空腹を満たすために必要な量、自分の身体を満たす少量だけで、十分食べたという実感がしますので、「足るを知る」ことを通じて、自分に最適な量を知ることができるようになります。

そうすれば、自然と食べる量が減ってきて、痩せます。

無理に心に我慢をさせて、負担をかけるというアプローチをせずにすむので、楽に痩せることができるでしょう。

本章では私が普段指導している、少しの量をたくさんの時間をかけてじっくり味わって食べるお稽古法の一部をご紹介してまいりましょう。

人と一緒に食べる時は、コミュニケーションが目的のことが多いでしょうから、一人で食べる時にお勧めいたします。たとえば週末だけでも玄米菜食の粗食にして、ゆっくり時間をかけて食べ、お腹を休めると良いでしょう。

考えない食べ方レッスン前編　ひとつひとつの動作に鋭敏に意識を置く

食べものを口に入れるためには動作が必要です。その動作ひとつひとつをぼんやり考えごとをしながらではなく、鋭敏に意識を置いて行ってください。

手の筋肉の動きを感じ取りながら、手を伸ばします。食器をつかんだ際には、いま触れたなという触感を感じ取ります。そうして口に持っていきます。口に入ってきたという触感、舌に触れた触感を感じます。

しかし、そこですぐに嚙み始めてしまわずに、手に持った食器をいったん元の場所に戻しましょう。

お箸《はし》を使って口に何かを入れたら、お箸もいったん下に置いてください。置きながら嚙《か》むとか、お箸を持ちながら嚙むというようなことをすると、意識がいろいろなところに分散してぼんやりしたすきに余計な思考が始まり、食べることに集中しにくくなります。

考えない食べ方レッスン後編　舌の動きに留意する

そして食物が口に入ってきたら、嚙むことや味や触感に集中しやすくするため、便宜上、目を閉じて、見ることを遮断してください。

嚙み始めると、口の中でだんだん食物がバラバラになっていきます。バラバラになっているものが舌にあたります。普段は舌の動きに注意を払うことなどないかもしれませんが、気をつけてみると、舌は絶えず動いています。口の中を舌が回りながら、食物をかき混ぜたり、味を感じたり、触感を感じたりしているでしょう。

膨大な情報量がそこにありますが、普段は考えごとや、他のことを気にしながら食べているので、その情報は切り捨てられてしまっています。舌に感じられている食感や味を通じて、これはどういう食品であるからどれくらい食べるとか、どんな栄養素があるとか。そういった情報は普段ですと、思考のノイズのために絶えず抜け落ち続けているのです。

でも、いまはそれに留意して、舌が動いている、いま舌がここにある、触れた。移動した、触れた。食物が口の中を一周する間に、嚙まれ、咀嚼《そしゃく》されて、流動化している。食物が流動化したことによって、より滑らかにドロドロになっていく。味が変化した、食感が変わった、味が変わった、食感が変わった、……という具合に、舌の感覚をずーっと追いかけながら、感じ続けてください。

飲み込む時も無自覚に飲み込まずに、いま飲む、いま飲んだということを意識するようにしてください。一歩遅れても構いません。あ、気づいたら飲み込んでしまっていたなぁと、そのときは「はッ」と気づいておいてください。

その瞬間、瞬間に移り変わっていく情報を感じ取っていたら、あまりにも忙しすぎて、考えごとをしている暇などなくなるはずです。

このように食べる練習を続けるうち、いままで大ざっぱにまとめあげ切り捨ててきた、細やかな「現実」そのものが少しずつ見えてくるはずです。それに向かって意識を肉薄させ、しっかり食事に取り組めば、充実しているとか幸せであるということは、実は「何を食べているか」にはほとんど依存しておらず、単に「食べているものに、しっかり心がとどまっているか、いないか」ということによってのみ決まっているのだ、とわかってくることでしょう。

コラム5

料理する

食物を食べる際に覚えておきたいのは、いい加減に作られたものを食べないことです。心を込めて丁寧に作られたものは、ある程度、丁寧に食べたくなるはずですから、きちんと食べるためには、料理は下手であろうが上手であろうが、丁寧に作ることです。特に人のために丁寧に作れば、見ている周りの人にも良い影響が出ます。

丁寧に作るためのコツは、まず「音を立てずに作る」ということです。

特に、包丁で野菜を切る時に、トントントンという音を鳴らすのが料理の定番のように思われていますが、上から下に圧をかけてしまうと、野菜の細胞をよけいにつぶしてしまいますので、音を鳴らさないように「スーッ」と引くように切ってみましょう。

後ろから斜め前に差し込む、あるいは前から斜め後ろに、「スーッスーッスーッ」というように丁寧に引き切ると、余分な力もいりませんし、野菜の細胞をつぶしてしまいませんから、栄養素もきちんと残ります。結果として、大きな音もしなくなります。

そして、包丁は基本的にまっすぐ持つことです。材料を斜めに切る時、自分が斜めの位置から包丁を使っている方がいますが、余計な力が入ってしまいますので、材料自体を斜めに置き、あくまで包丁をまっすぐ持って使うようにしましょう。

また、鍋《なべ》や食器の音を立てないようにと配慮すると、丁寧な動作になります。

さらに、途中でこまめに包丁やまな板を洗うなど、「面倒だ」と思わずに工程を踏んでいくことも、丁寧に料理をするという観点からは役に立つでしょう。


野菜は、無農薬野菜や化学肥料を使っていないもののほうが身体に良いことに加えて、薄めの味つけでも十分に食材の味が引き出されます。

農薬を使って大量に安く売っているような野菜を買うのは、虫の殺生をしながら環境破壊に加担するという側面もありますから、あまりお勧めできません。身体に良い野菜が食べたい、というある種のわがままであることはわきまえつつも、素材の味をしっかり引き出せる、良質の野菜を揃《そろ》えたいものです。

6 捨てる

掃除や整理整頓《せいとん》で大切なことは、ものを一回一回、片づけるということです。

どうせ後でまた使うのだからいちいちしまうのは面倒くさいと思いがちですが、ものを出しっぱなしにしておくと、それが目に見えるたびに心がいちいちそこに移って情報処理し、いろいろと思い出すため細かな思考のノイズが始まってしまいます。

ですから、必要最低限のものだけ出しておくべきです。

特に現代人にとって大きな要素を占めるのはインターネット関係です。モデムなどは使わない時はいっそのこと取り外して片づけてしまうことをお勧めします。つなぎっ放しですと、すぐにインターネットにつなぐことができることを心が思い出して、メールやウェブログにまつわる思考のノイズが生じ集中力を阻害してしまいます。面倒でも必要な時だけ出してきてつなぐ。メリハリをつけることです。

そのため、引き出しや押し入れの中に、常に空きスペースをつくっておくことです。ものを増やしすぎないことは、空きスペースをつくることに役立つのみならず、「これは自分の物ッ」と執着して思い出さねばならないきっかけが減りますから、思考のノイズを減らすことに、大いに有用であると実感します。

必要以上にものを持たないということ。ものに限らず、何かにしがみつかないということ。本章では、ものを捨てる際の心構えについても、考えてまいりましょう。

失うのが怖いという概念が自分の負担を増す

はじめに、「ものを所有する」ということがどういうことかを考えてみましょう。

一つ目の条件は「そのことを強く心が覚えている」ことでしょう。そして二つ目の条件に「それを失うことに対して強い抵抗を覚えている」ことがあります。心を見つめてみると、この二つのことから「所有する」が成り立っていることがわかるはずです。

何かを失うことに対する恐怖感や抵抗感がある、ということ以前に、そもそもそれを記憶していない限り、抵抗感も何もありません。自分が持っていることを知らないものについて、失っては困るとは思いませんから。

自分が持っているか持っていないか知らないお金について、失ってはならない、なくしたくないと思うことはできませんし、自分が持っているか持っていないか知らない自転車について、失いたくないと思うこともできません。つまり、所有していると意識していなくても常に「これは自分のものだ、失いたくない」と覚えていて、その情報が思考のノイズとしてまるでサブリミナル情報操作のように心をかき乱しているのです。

私たちは、欲によって「不必要なものをため込む」という傾向を持っています。

日常生活でも、もう二度と読まないかもしれない本を本棚の中にいつまでも置いておく。必要がないかもしれないものについても処分しない。そして増えていきます。

この「失いたくない」という衝動が、常に心に負担をかけています。

たとえば、二年に一回くらいしか着ないような服や、子供のころに遊んでいたおもちゃが、押し入れの奥にしまわれていたりするかもしれません。

6　捨てる

服はいつか着るかもしれません。おもちゃにしても、いつかそれを取り出してみて眺めたら懐かしい気持ちに浸れるかもしれません。いつか、いつか……そのいつかはやってくるかもしれませんし、やってこないかもしれません。

ただ、そのいつかが仮にやってきて使うことができたとしても、それまで、ずっとそれを持っているということを、心がかすかに覚え続けています。

表面的な意識で忘れていても、それを見た時に「あ、これは自分のものだった」と、すぐに合点がいきます。合点がいくということは、記憶のデータベースにしっかり刻み込まれていて、そのことをひそかに思考し続けていたということです。

そして、そのものを思い出すたびに、「捨てたほうが良いかなあ」と迷うのです。ですが、「いや、捨てるのはもったいない」とか「いつか使えるかもしれない」と思って捨てない。捨てないことについて、自分の中で言い訳をしてしまうのです。

結果的に、これを失いたくない、失ってはならないという緊張感が生まれ、それをずっと抱えることになります。同時に「捨てたほうが良いかな」「いや、捨てるのはもったいない」という葛藤《かっとう》も生じ、自分で心をがんじがらめにしてしまっています。

しかし、なぜそんな言い訳を自分に対していちいちしなければならないかというと、実は、ものをなくしてしまいたいという率直な衝動も人は持っているからです。

根本的には、持っているものを失いたくない。それを失うのが怖い。そう思っていること自体が、結果として自分の負担を増す元凶になるということは、誰もが心のどこかで知っているのです。失うことに対して恐怖感や抵抗感がある、そういうものが増えていくことによって、自分の心が乱れていくことを知っているからです。

ものを捨てないことが「無明」の領域を育てている

「捨てないでおいてあるもの」が増えていくと、記憶のデータベースもどんどん乱雑になっていき、覚えていられなくなるものが増えていきます。

覚えていられない物が増えると、自分の心がいまどうなっているのかを認識する能力、自分の心を広く見渡す能力、自己統御力を減らしていくことになるのです。

それは、自分の心の中に、意識化できない情報が増えていくからです。ものを捨てないでとっておきたいという煩悩と、ものをなくしてしまいたいという率直な衝動。その相反する葛藤を思い出すと、とても嫌な気分になることでしょう。心が混乱状態に置かれてしまって、それを考えること自体が嫌になりますと、「とにかくとりあえず考えたくない」となって、押し入れや引き出しの一番奥の奥に突っ込みたくなるかもしれません。

たとえば、昔、人からもらった手紙を見るたびに何か嫌な気分になるから捨てたいような気もするけれど、思い出の品だからと悩むことがあるかもしれません。

とりあえず考えたくないから、引き出しの一番奥に入れておいて、また今度見た時に判断しようと思って忘れたつもりでいます。それが大間違いなのです。**忘れたつもりでいても、心はちゃんと覚えていて、「どうしようかな」と思い続けている。**

実は、これはとても危険なことです。「無明《むみょう》」の領域を増やすことになります。無明とは、真理の光に照らされていない、迷いの状態のことです。心の中の真《ま》っ暗闇《くらやみ》の領域です。自分で、自分が見えない領域を増やしてしまうのです。

この「無明」の領域は、ものを欲によって増やして執着するにしたがって増えてまいります。

ものをコレクションするくらいまで執着が強くなってしまいますと、何か別のことを考えている瞬間にも、ふと心が「あ、あのコレクションのアレがまだ足りていないけど、あれはいくらで手に入るんだろう」など余計なことに心がふっと飛んでいってしまいます。

あまり執着が強いと、〇・一秒のうち〇・〇五秒くらいそのことを考えていたりします。それを積み重ねていくと、実は一時間のうち三〇分、一〇年のうち五年くらいはそのことを考えていて、人生の半分がそっくりそのまま抜け落ちてしまうのです。……ものを増やしてしまうというのは、目の前の視野、現実的な目の前に見えている視界を見えなくさせる霧をつくり出してしまうのです。

いま自分がなすべきことは何か、自分にとって適切なことは何か、自分はどういう人といたら良いか、どういう話し方をしたら良いか、どう人の話を聞いたら良いかといった瞬間の判断を鈍らせる、霧になるのです。

そもそも、人は何のためにコレクションをしたり、ものを増やしたり、お金を増やしたいと思うのでしょうか。

すぐに思いあたりますのは、それらを持っていない時よりも、持っている時のほうが、「自分の価値が高くなるに違いない」と思い込んでいるということです。それを持っていることで自分の価値が高いと感じられ、安心するからです。

6 捨てる

何かがほしいというのは、裏を返せば、それがなければ不安だ、それがなければ不十分な気がするという苦をあらわしています。

その苦によって、それがないから自分は不幸なような気がする、不完全な気がすると思わされ、「それをぜひ手に入れなければいけない」という気になります。

手に入れた瞬間、いったんその苦は解消して喜びを感じますが、また「それを手に入れていない状態に戻ったらどうしよう」という苦が生じるのです。「それは嫌だ」という強い反発、刺激が生じ、それを持っているということを強く意識します。

ですから、自覚しているにせよ、無自覚であるにしろ、ほしいものを手に入れたあとにも心に苦が刻み込まれていて、常に強い霧を発生させてしまいます。持ち続けなければならないという苦が生じているのです。

そうしたことを繰り返すことによって、欲の業《カルマ》が積まれていきます。

欲の業《カルマ》は、積まれていくうち、単に物欲が増えていくだけではなく、他の欲望にもそれが転化していきます。たとえば人に対しても、自分の欲を押しつけたいという「慢」の欲とスライドしていくのです。

家族、友人、恋人、同僚、あるいは赤の他人からも、私はこう扱ってほしい、こういう態度で私に接するべきだと、要求を増やすことにスライドしていきます。ですから、**無自覚的にものを増やしていくと、必然的に人格も次第に悪化**していきます。

結局、自分の価値を増して安定させるためにものを増やそうとしているのに、皮肉なことに、そのことによって人格はどんどん不安定になっていくのです。

一般に、立派な豪邸を構えていたり、お金をたくさん持ったりしている人ほど、私生活での精神が不安定であったりすることがありますが、それは、心に常に苦があり、霧が晴れていないからでありましょう。

執着からの脱出のために――「捨てる」訓練

ところで、私が庭に置いている自転車は鍵《かぎ》をかけませんので、ときどき盗まれます。しかし、「ああ、持っていったなぁ、誰かが」という感じで放ってあります。お金を落とした時も、「うわっ、いくら落としたんだろう。大失敗だ！」という感じではなく、「ああ落としたなあ。次は落とさないようにしよう」でおしまい。

あるいはもし、持っているお金が全部、何かの原因で燃えてしまっても「ああ、燃えてしまったなあ」という感じです。こういった時に苦痛が生じることがないのです。当然のことですが、これはお金を燃やしましょうと言っているわけではありません。仮に燃えてしまっても不安がない、ダメージが少ないということです。

心を冷静に見つめる訓練、心を明晰《めいせき》に保つ訓練をしていくうえで、ある時点から、「あ、自分が変化したなあ」と明らかに気づかされた指標がありました。その指標とは、心の中の「ものを持ち続けたい」「何かを失うことが怖い」という霧が晴れていく実感でした。

仮にものがなくなったり、失われたり、盗まれたりしても、心はほとんど苦痛を感じない。あるいは、心にほとんど霧がなく、晴れているという感覚です。

しかし、もともと人は、ものを持っているからには、自覚的もしくは無自覚的に、「それを失いたくない」という衝動を持っています。ですから、あえて「捨てる」ということが心の訓練法として有効なのではないかと感じています。

処分の仕方は何でも良いのですが、誰か有料で買い取ってくれる方がいれば買い取ってもらっても良いでしょうし、誰か使ってくれそうな方がいれば、ただで差し上げてもよろしいでしょうし、単にゴミとして迷惑がかからないように処分してもよろしいでしょう。

そして、実際にやってみるとわかるはずです。これまでものが増えるほうが安心すると思い込んでいたのがまったく間違いで、実は減らしたことでとても心がすっきりしたり、安心したり、安定したり、自分の心の中が見渡しやすくなったりするのです。あまつさえ、人とのやり取りすらスッキリするように感じることでしょう。

自我肥大させるお金から自由になる

仏教で言われる「布施」というものも、結局のところ「捨てる」ということです。自分がしがみついているものを、最も有意義なもののために捨てるのですから。

お金というものは、非常に強く自我を刺激するものです。自分はこれだけ持っているから、これだけ安心だ、これだけの価値があるのだ、と無意識に思っています。そしてその数を増やしていきたくなるのです。

なぜ増やしたくなるのかというと、それがあらゆるものと交換できる物質だからです。その数値を増やしていけば世界の中で交換できるものが増えていきますから、潜在的に自分の支配領域に置けるものが増えていきます。自分の世界の触手を伸ばすツールです。ですから、お金は自我を刺激することと強く結びついているのです。

現代の日本人には、そうやって蓄積されたものを自分のため以外には使いたくないと思っている方が多いような気がいたします。一見、欧米人のほうがそういった気質《きしつ》が激しそうに見えますが、大富豪と呼ばれる人たちは決まって巨額の寄付を教会に行っていたり、慈善事業を行っていたり、あるいは公共的な目的のために使ったり、大学に多額の寄付をしたりということを行っていたりします。

それらの実情は、慈善活動をする一方で人に迷惑をかけるような活動をしていたりもしますから、ある意味では偽善極まりないことかもしれません。

しかし、業《カルマ》を積んで伸ばした触手を有意義なことに向かって捨てるというのは、自分の苦を増やしていくことを防ぐことができるのです。

極端な話をしますと、人は一〇〇億ドルを持っている状態より、それを捨てた状態のほうが根源的には好ましい状態になります。そして当然ながら、その一〇〇億ドルをただ捨てるよりも、好ましい目的のほうに使って捨てたほうが良いに決まっています。

結局のところ、「持ち続ける」ことで生じ続ける「慢」の煩悩や、積まれていく業《カルマ》は、自分に苦を増やし続けるだけです。そのことが自分の心を悪化させているものであるなぁと、客観的に見ることができましたら、「捨てる」という行為を通して、業《カルマ》を清らかな方向に組み替えていくことができるでしょう。

ただし、気をつけなければいけないのは、ボランティアや募金活動は、自分は世の中に役に立っている、自分がそれをしたら誰かに感謝されるべきだという自我を強く刺激しがちなものだということです。そして感謝されると、「自分の株が上がった」と自分の中の評価を上げるのに流用してしまいがちです。

すなわち、自己評価のインサイダー取引と申せましょう。「お金を人のために使っている偉い自分」「お金をもらわないのに、作業している偉い自分」という「慢」の煩悩により、お金をもらわない代わりに、自己評価を上げているのです。

他人に優しくしたいなんて気持ちは、ほんのちょっぴりしかないかもしれません。ただ、この「ほんのちょっぴり」も、やらなければ成長しません。偽善も、用量を守れば効果はあるのです。

第２章
身体と心の操り方

6　捨てる

練習方法を間違えると身体のフォームが悪化してしまうように、自己評価を気にし続けてしまうと、煩悩をさらに大きくしてしまいます。できるだけ「慢」にのまれないようにしようという気持ちを常に持って、純粋にその行動をすることを心がけるとよいでしょう。それが業《カルマ》を捨て、慈悲の心を育てる練習ということになります。

捨てることによって、性格は次第に改善されていきます。この場合、世間的な性格の善し悪しではなく、煩悩から離れていくという仏道的な意味合いです。

ものを処分すること、捨てることが、自分の中の「何かを失うことが怖い」という霧を晴らし、何があっても大丈夫、という勇敢《ゆうかん》なる平常心を育《はぐく》んでくれるのです。

コラム6

買う

先ほどはものをむやみに増やさない、余計なものは捨てるというお話をしました。ですから、むやみに「ものを買わない」ことも大切です。

しかし最近は安売りの店が増え、大量に買い込む方が増えているようです。そのものがほしいから買うのではなく、安いから買っておいたほうが得だという考え方です。

しかし、安いものもたくさん買えば、当然お金はかかります。一番問題なのは、それは本当なら必要ないかもしれないということです。安いから買うということは、安くなかったらいらないものなのに、「ほしい」のハードルが下げられているのです。

二万円のものが五〇〇〇円になっているから、これを買ったら一万五〇〇〇円分、得をしたということになるのではないか、というのは、幻想にすぎません。

セールで安くなっているものを見た瞬間、「あ、安い！　買っとこうかな」となっても、「あ、これは『安い』→『得したいから買いたい』という思考ノイズの反射にすぎない、やめておこう」と一拍おくことで、無駄なものを買わされずにすみます。

お金の使い道としては、身体にとって本当に良いもの、生きるための基礎を成すものにきちんとお金をかけ、あまった分で娯楽や好きなものに使うのが良いでしょう。刺激を自我に与えるための嗜好品《しこうひん》や贅沢品《ぜいたくひん》にお金をつぎ込んで、自分が生きていくための食費を削ったり、仕事の必需品を安い粗悪なものにしたりするのは本末転倒です。

何かを買うということは、誰にお金を回すかということに結びついています。商売第一で、粗悪な製品でも大量に機械的に売りさばこうと思っている人よりも、本当に良いものを丁寧に心を込めて作っている人にお金を回して、結果的にそういう人たちがもっと良いものを売れるようにする。大げさな言い方をすれば、買いものには投資という側面もあります。本当に好ましいと思えるものをきちんと選んで、それを作ってくれている人たちにお金を回すという心持ちで買いものを行っていると、自分はきちんとした形でお金を使っているなと心から満足できることでしょう。

「安いから買う」でも「ほしいから買う」でもなく、「必要なものだから高くても買う」「本当に必要なものを少なく買う」という姿勢を貫いていれば、欲にまみれず、良い心持ちで生活し続けることができるのです。

コラム7
待つ

現代人は、「ただ待つこと」が本当に苦手になっています。

病院で待たされたり、電車が遅延したり、待ち合わせに相手がたかだか三〇分でも遅れると、すぐにイライラ、ソワソワし始めてしまいます。

私が瞑想《めいそう》を始めてから得た成果のうち、大きなものは、列に並ばなくてはいけないとか、その列に割り込まれたという時にも、いちいち心が波立たなくなったことです。

人は、電車や他人のせいで遅れる時は、自分のせいで遅れる時よりも、ずっと余計にイライラしてしまいます。

しかし、そういう時に焦ったって、イライラしたって仕方がないのです。

そうしたことでできた空き時間の三〇分を、イライラして過ごさなければいけないか、それとも心穏やかに過ごせるのかによって、大きな差が生じるのではないでしょうか。

そんなちょっとした空き時間を、「時間を無駄にしない練習」にあててみましょう。

一番のお勧めは、いつでもどこでもできる瞑想です。

目をつむって自分の呼吸に集中してみることで、心を穏やかに、リフレッシュさせることができます。

長く集中した瞑想を続けられない場合、慈悲の念を唱えてみましょう。

目をつむって、「心が穏やかになるように」と念じるのです。すると、「また事故か！○○線はいっつもこうなんだから」などといった思考のノイズに占領されずにすみます。

あるいは、車外の音や車内の音に耳を傾けて「音に集中する練習」にチャレンジしたり、いま周囲にあるものに五感を研ぎ澄ませてみることもできます。

退屈なら、思考がクルクル回転し始める前に、他人を細かく観察してみるのも、一つの手です。目の前の人の手がソワソワと震えていたり、眉間《みけん》にシワを寄せていたりするのを見て、「この人にはいま不快物質が出ているな」と他人を観察する時間にしてみると、無駄に思考がさまよったり、イライラしないですみます。

苛立《いらだ》たずに、待つ時間をきちんと味わえると、無駄な時間が一切なくなりますので、いつも充実していることが叶《かな》うのです。

7 触れる

触れるというと、どうしても具体的な人やものを思い浮かべがちですが、私たちは常に全身を通して地面や衣服や空気、それから身体内部の感覚に触れています。

今回は、仏道的な見地から日常的に身体に生じている触感に注意を向けてみましょう。そして、それをきっかけにして、集中力や、「はっ」と気づく観察力を養うお稽古《けいこ》をしてまいりましょう。

集中力が途切れたら、触れている感覚に注意を向けてみる

私たちは、働いている間にも、パソコンのキーボードに触れている指や、地面に触れている足など、肌に触れているものに触感を感じているはずです。

長時間、イスに座って仕事をしていると、徐々に集中力が途切れてきます。

そんな時は、いまお尻《しり》が触れている感触や、背もたれに背中があたっている感触、身体が感じている痛みなどに、じっと意識を向けてみましょう。意識をそうした触感に向けてみることは、集中力を取り戻すきっかけになります。

足が痛い、腰が痛いという状況だったら、痛い部分にじっと意識を向けてみます。すると緊張してこわばっているとか、変な姿勢になっているということがわかります。

自分の話し方がおかしいことがわかれば話し方が変わってくるように、姿勢が崩れていることがわかると、姿勢が変わってきます。

まずは自分の姿を認知できないと、変わることもできないのです。

ですから、普段は顧みない、ささいな感覚に注意を向けてみることが、心をコントロールする際の重要なきっかけとなります。

オフィスで仕事をしている時は、自分がとりかかっている仕事以外にも気が散ることがたくさんあるでしょう。周囲とのコミュニケーションも必要ですし、電話もかかってきます。スケジュールの手配もしなくてはなりませんし、上司の話も気になります。考えることやノイズが多すぎて、心の負荷が大きくなりすぎるのです。

ですから、そんな時には、ノイズを振り払う特効薬として、身体が触れている感触に注意を払って、ひとつの行為に没頭してみますと、すっと集中できます。

パソコンのキーボードに触れている指の感触に意識を集中するように努めてみるのもひとつの手です。

その作業を漫然と行うのではなく、触感に集中して意識化すること。キーボードに触れている指を集中するベース（基本点）と決め、必要最低限のことだけ考えるようにすると、思考のノイズと意識が拡散していく可能性が低くなります。

自分の手に何かが触れている感覚をうすぼんやりと抱いている、いわば背景化している状態から、その触感に集中し、いまキーを打った、離したという感覚、またはそれを操る腕の筋肉の緊張度合い——そうした「実感」の中にぎゅーっと意識を押し込ませ、とどまらせ、漠然と感じていた触感をしっかり感じ取ります。

すると余計な思考のノイズが消え、いま一度その作業に没頭することができるでしょう。精神が統一されることによって意識がシャープになります。そのうえで、仕事の段取りや書いている内容など、いま必要な最低限のことを考えれば良いのです。

また、どうしても集中力が途切れた時には、机を離れて、ゆっくり歩いてみることをお勧めいたします。

デスクワーク以外の、掃除や料理、農作業などでも、いま自分の指が触れているもの、いま自分の足が触れている感触に意識を集中してみますと、頭の中の考えごとが減って、作業に集中しやすくなります。

掃除する順番など必要最低限のことだけを考えながら、ほうきを持つ手や、掃除機をかける手の力の入れ方に集中いたしますと、他のことは考えなくなります。

そもそも身体を動かして何かに触れるという行為は、程良いレベルの刺激があり、とてもリラックスできます。

「痒いから掻く」の暴走を止めてみる

触感のお稽古の第二段階として、暑さや寒さなどの外的要因にも影響されない、右往左往しない心を持てるようにしてみましょう。

たとえば暑い夏。「暑い」という感覚が脳を刺激し、その電気ショックによって不快を感じます。そして冷房をつけます。この一連の流れは、普段、特に深く考えもせずに行われていることでしょう。

短期的に見れば、身体を冷やして気持ち良くなるという利害に適《かな》った行為です。

しかし長期的に見ますと、少しでも自分の意に沿わないことがあると、それを強引に直そうとする心のクセがつくことになります。誰しも、暑い時は暑さを排除すれば良いのだと条件づけられていますから、相手（この場合は温度ですが）を変えることによって、自分の快適さをつくろうとするのです。そうしたことを繰り返すことによって、少々のことにも我慢できない人間になっていくのです。つまり、長い目で見ますと、心がわがままになっていきます。

まずは、身体に支障をきたすほどの暑さや寒さでない限り、それにいちいち右往左往しない心構えが必要です。

その際に必要なのは、「いまこの身体は暑さを感じているな。汗が出ているなあ」と観察し、その状態を否定せずに、そのまま受け入れてみることです。

他にも、無意識についやってしまう動作やクセは、たくさんあることでしょう。「しょっちゅう髪を掻《か》きあげるクセ」とか「鼻が痒《かゆ》いから掻く」とか。

７　触れる

けれど、多少痒くても、掻く前にひと呼吸おいてすぐに反応しないという訓練も、心のコントロールのために有益です。

実はちょうどいま、私は蚊《か》に刺されています。二分ほど前から、親指のつけ根に蚊が止まっています。蚊に止まられている感覚に集中していると、身体が「うわ、蚊に刺されている」と緊張していない状態なので、蚊が攻撃され殺されるのではと感じることはなく、「早く血を吸って早く逃げよう」と感じませんから、蚊もリラックスしてくれます。その結果、緊張した煩悩状態から急いで一気に毒を注入しようとすることもなくなるように思われます。

また、私たち人間へと視線を移しますと、多くの方は、「刺されたら痒い。だから嫌だ」と思っているでしょう。痒みの情報が脳に送られて、脳がそれはとても嫌なことだと情報処理するので、「ああ嫌だ、嫌なことだ」と感じてしまいますから、わざわざ自分から不愉快になってしまいます。

しかし、それは怒りの煩悩に操られているからとも言えるのです。

五感の入り口である触感によく集中し、その痒みそのものに意識を集中してみます。するといま微細な刺激が発生しているだけであると認知されるだけで、それを嫌なものだから破壊しなければ、という脳の命令がなくなります。

刺激の入り口で集中して感じ取ることによって、「痒いから、嫌だ」の「から」という部分を断ち切ってしまうのです。すると、単に「痒い」だけになります。

こういうことを文字で読んでも実感はわかないと思いますから、皆さんも痒い部分があったら、ぜひ実践してみてください。

痒みそのものは実際は痛覚を通じた微細な刺激なのですが、脳にその刺激がきた時点で、脳が暴走して、これはとても嫌なものである、破壊しなければいけないとデータを書き直すのです。それで嫌な感じが水増しされてしまうのです。その脳の暴走を止めるには、そこで発生している情報そのものに集中して、よく感じ取ることです。すると、脳は「痒い」→「嫌だ」というデータ処理をしなくなるので、それは特に辛《つら》いことではなくなります。

さらに、蚊に刺されると毒が入れられるわけですが、刺された点に意識を集中していると、身体が「ここにいま問題がある」と認識し、その毒を早く分解しようという自己治癒《ちゆ》能力が働きますので、急速に治ります。私は蚊に刺されても、だいたい三〇分もすれば治ります。掻かなくてすみますから、引っかき傷もできません。

そんなこと言ったって、痒いから掻くのだ、掻いて気持ち良いほうが良いに決まっているじゃないか……と思われるかもしれません。

けれど、痒みを何とも思わずに、単なる情報であると放っておけると思うのと、痒くて嫌だと思うのと、どちらが幸せでしょうか。

後者は当然ながら、痒みに対し怒りを感じています。この痒みはなくならなければいけないという反発が生じています。そうした時、心は不幸だと言えるでしょう。

寒い、暑い、痒い、痛い、ムズムズするなど、この「嫌だ！」が身体感覚を通じて、脳にインプットされるために、幸福感が少しずつ削《そ》がれていくのです。

日々、この「嫌だ！」という気持ちを感じるきっかけが少なければ少ないほど、人の生活は充実し、幸福に近づけると仏道では考えています。

暑くても、暑さそのものによく集中してみると、暑いから嫌だという感じがなくなっていって、「いま、ただの暑さという情報がやってきているな」で終わります。すると、「嫌だ」という気分を味わうことをせずに一日を過ごすことができますから、とても心地良く、いろいろな環境に馴染《なじ》むことができるようになるでしょう。

コラム8

休む／遊ぶ／逃避する

この三つは、仏道的にはだいたい同じようなものと申せるかもしれません。人は充実している時には、あまり休みたいとか逃避したいとは思いません。欲や怒りで疲れている時に、そこから抜け出したいと思うのです。

現実から逃げたいあまり、刺激の強いことをするのは避けたほうが良いでしょう。それは強い刺激でストレスを麻痺させているだけで心身ともに疲れてしまいます。イライラしている時ほど刺激の強いものに誘惑されがちですが、疲れないものを選ぶことが重要です。

休める時は、身体を適度に使って心をゆったり休められるようにするのが賢明です。短い休憩なら、仕事はいったん片づけて、丁寧にお茶を淹《い》れて飲むとか、丁寧に食事に集中して味わいましょう。

旅行なら、忙しく観光地を回るような慌ただしいツアーではなく、きちんと心身が休まる旅が良いでしょう。好きな人と人ごみを避けた土地に出かけて、お風呂にゆっくりつかり、早い時間に休んでぐっすり眠り、疲れないうちに帰ってくることです。

どうしても刺激がほしい気持ちになってしまった時は、せめてホラー映画よりはアクション映画、アクション映画よりは人間ドラマ、人間ドラマよりはより穏やかなほのぼのした映画など、より穏やかな刺激のものを選ぶほうが後々のためです。

泣ける映画は人気ですが、これも、感情のたがが外れてスッキリするだけの話です。泣ける映画というのは大抵、主人公が苦しい状況やまずい状況に立たされているのを見せられて、観客が怒りの苦を感じている状態から、一気に解放されたり、ホッとしたりして、苦しみが取り除かれる状態になります。それを快楽と錯覚して泣くのです。

結局、苦しみを与えられて心が波立つので、泣ける映画ばかり観《み》ていると、さらに大きな苦痛を得たうえで解放されてもっと感動したいとか、わざわざ自分から大きな苦を欲する心のクセをつけてしまいますから、あまりお勧めできません。

飲酒もお勧めできませんが、どうしても飲みに行きたいのなら、大騒ぎにならず、愚痴や悪口の言い合いにならず、しっとり飲めて良い話ができる人を選びましょう。

とにかく強い刺激より穏やかな刺激にとどめ、しっかり休むことを心がけましょう。

そうしないと、脳が「面白かった。疲れが取れた」と錯覚しているだけで、実際は、疲れはどんどん蓄積していくだけなのです。

8 育てる

無駄な思考をなくし、心をコントロールしていくうえで、最後のエクササイズとして、「慈悲の心」を育てつつ、自らを育て、他人を育てるということについて考えてみましょう。慈悲の穏やかな心持ちは、他人にとって良い以前に、自らの思考のノイズを静めてくれる特効薬となるからです。

しかし、世の中には慈悲のまがいものばかりが転がっています。目の前に困っている方がいたら、いてもたってもいられなくなる。つい何かアドバイスを言わなくてはと感じてしまう。そういう時は同情してためになることを言ってあげなくちゃ……このような「親切」をしたくなってしまう時の心の動き。それは一見、優しさのように見えますけれども、実際は思考ノイズの反射反応にすぎません。

第2章
身体と心の操り方

8　育てる

先日聞いた話では、ある方の友人が職場でふと、「会社をやめたい」と漏らしてしまったそうです。すると途端に職場の人たちが集結し、急きょその方の話を聞いてあげる会が開かれました。そこではみんながいろいろな意見を言ってくれたのですが、それぞれに好き勝手なことを言うだけでしたから、むしろさらし者にされているように感じ、ぐったり疲れてしまったそうです。

たぶん、その方はそれまでにも職場で無言のSOSを出していたのでしょう。けれど、その時点では誰も気づかず、ケアもしなかったのに、弱音を吐いた途端に寄ってきた。

それはある意味、ハイエナのようなものと申せましょう。弱っている人、かわいそうな人を、自分が立ち直らせてあげるというのは、とても気持ちの良い、美味《おい》しいエサに感じられることなのです。そして、「自分が気持ち良く感じたいよー」という思考のノイズが反射的に心を占領してしまい、結果として弱っている相手が立ち直るかどうかということは、たいていの場合、二の次になってしまいます。

「あなたのため」のアドバイス攻撃をしない

実際のところ、困っている人にしてあげられる最も大事なことは、静かにしていてあげることです。黙って話を聞いてあげることです。

それも、「さあ、話を聞いてあげるよ!」といった、押しつけがましい雰囲気ではなく、自然に相手が話したくなるような「場」を作ることです。こちらはあまりベラベラ話さず、丁寧に相手に耳を傾けていれば、やがて、話したければ話し始めるでしょう。そのためのポイントは、相手が落ち着いてリラックスし、こちらと一緒にいることが安心だと感じさせてあげることです。

そして、話を十分に聞いたら、まず相手を否定したり、わざとらしく肯定したりしないことです。「こうするべきだ」と偉そうな意見を説かれても、偉そうな意見というのは心に届きにくいもの。たとえ、「あなたがここを直せば、良くなるのじゃない?」などと親切っぽく言ってみせたとしても、それはつまり「あなたは間違っている」と否定していることになるのです。

大切なことは、**その方がいま何に困っていて、何を望んでいるのかが浮き彫りにな**

るまで、じっくり話を聞くことです。

そのうえで、もしアドバイスをするなら、「あなたは、これがしたいのですよね？」という共通理解に至るまで、本人のしたいことを突き詰めていき、そのためのルート探しや心の律し方、心の置き方をともに考えてみることです。いま別の方向に心が行ってしまっているなら、どう軌道修正できるのかを考える。実はそれも相手をかすかに否定しているのですが、「その人がやりたいこと・やりたくないこと、叶《かな》えたいこと・叶えたくないこと」をお互いに認識し、基本部分は否定しない。そのうえで本人が軌道修正の必要性を理解できるなら、否定されているとはとられないでしょう。

もしも相手が「幸せになりたいのに、なれない」という漠然とした悩みを持っていたとしましょう。その場合、まず、その人にとって幸せとは何かから考えてみることです。幸せのイメージをじっくりと聞いてみるのです。何が幸せで、何が幸せでないのか。何が大事で、何が大事でないのか。したいことは何か、したくないことは何か。

その人が矛盾したことを考えているなら、話していくうちに少しずつ整合性がつかなくなっていきます。そして、その整合性がつかなくなってきた、キナ臭い部分を、「なぜ、そうしたいの？」「なぜ、それをやりたくないの？」「そこの部分をもう少し聞かせて」などとじっくり聞いてみる。相手の話が「単なる愚痴」に終わってしまわないようにするには、相手が説明するために、自分自身の考えを整理しなければならないような質問を重ねることをお勧めいたします。相手が「自己認知」をより客観化しやすいようにしてあげることです。

するとと、話しているうちに、本人が自分の矛盾に気づき修正せざるをえなくなり本人の中にあった「幸せのイメージ」が変わってきます。その結果、出された結論は自分で導き出したものだと本人は思い込んでいますから、否定されたとは感じないでしょう。

一方で、本人が苦しんでいるのに、それまでのすべてを肯定して、「あなたは何も悪くない」などと言うのは、その場しのぎの気休めでしかありません。欧米式のカウンセリング理論の下では、こうした全肯定のヒアリングが行われることが多いようです。

相談する方の一時的な安心感を得られるのは確かでしょうが、心の歪《ゆが》みはそのままですし、根本的な解決には至らないことでしょう。

「自分の意見を押しつけたい」欲に操られない

いずれにしても、困っている方の話を聞いてあげられるのなら、まだ良いでしょう。それすら多くの方はできずに、弱っている相手の話をよく聞かないうちから持論をとうとうと述べてしまうのです。

人は誰でも、誰かに勝ちたい、自分のことを認めてもらいたい、という衝動を潜在的に持っていますから、グロッキー状態にある人を見つけると、相手の話は大して聞かず、思考ノイズに乗っとられてすぐに意見をぶつけたくなるのです。問題は、それが無意識に、反射的に起こるということです。私たちは「自分の意見は正しい、間違っていない」と思い込み、見解を常に補強したがる**「見《けん》」**の欲に支配されがちです。相手に意見を認めてもらえると「見」が刺激されるため、ついつい自説を言い張りたくなります。この「見」の欲は、普段は相手の反発を恐れるがゆえに抑制されているのですが、困っている人を見ると、これは押しつけではなく人助けであると誤解し、反応してしまいます。自分は素晴らしいことをしているのだと自己錯覚して、抑制のストッパーが利かなくなってしまうのです。

こうした反応をしないためには、繰り返しになりますが、そうした心の動きの仕組みをよく知っておくことです。弱っている人を見たら、「親切心」という名の下に、心の中からそういう「見」の衝動がわいてくるものなのだ、とあらかじめ認識しておくことです。すると、何となく自分がアドバイスめいたことを言いたくなった時、冷静に「あ、いま自分は相手に押しつけたくなっている……」「見に支配されようとしている……」と背景の操り糸に気づくことでしょう。

人に自分の意見を押しつけようとする方は、「私は困っている人に、救いの手を差し伸《の》べてあげているのだ」という「慢」の煩悩がバイアスのようにかかっていますから、結果としては明らかに相手に害を与えているのに、そのハタ迷惑さを自己認知できなくなってしまうのでしょう。

自分の中の「見」や「慢」に支配されないよう、常に自分を冷静に保ち、いち早く相手の苦を見つけてあげることが思いやりの第一歩と申せましょう。

同情や心配はほどほどにセーブする

８　育てる

誠に人を思いやるというのは、積極的に相手に何かをしてあげるとか、心配してあげるとかベタベタすることではありません。自分では優しくしているつもりでも、自分の中の煩悩によって相手に余計なおせっかいをしたくなっているのかもしれません。良い自分、優しい自分と思いたいがゆえに成される「優しさ」は、本人も無自覚であるがゆえに、しばしば押しつけがましいものになってしまうのです。

特に、誰かをかわいそうだと同情する時、それはたいてい優越感からくる感情ではないでしょうか。

相手に対してかわいそうと思える自分に興奮し、「かわいそうと思っている自分は良い人である」というイメージに浸っているのかもしれません。

興奮状態に浸りながら、何かを言ったり、行動したりしているので、実際には相手のことは冷静に考えられていません。自分の煩悩によって、過剰にベタベタして相手を甘やかそうとします。自分は良いことをしていると思っていますが、長い目で見ると、やっていることは相手を甘やかしてダメにしているだけです。

また、人のことを心配しすぎるのも、本当の思いやりとはかけ離れています。人は過剰に心配されると、人を心配させていることに対して心が負担を感じます。

自分では「人に優しくしたい」と思って心配しているつもりでも、泣いたり、不安になったり、感情的になってしまうと、そこには苦痛が生じます。その苦痛は、煩悩の種類で申しますと「怒り」です。これは好ましくない状況であるという反発の感情から生じているのです。

たとえば病気の時にお見舞いに来た人が泣き出したりした場合、「心配してくれて嬉《うれ》しいな」と感じるより、その方のドキドキ感や不安や暗い気持ちが広がって、相手はさらに辛くなったりします。怒りの波動が発散されているので、その方が病室に入ってきただけで何となく落ち着かない気分になったりするのです。結局、お見舞いにはなりません。

ある意味、心配というのは、わがままな趣味のようなものとも申せましょう。自分が心配したいから心配する。一般には、自分が不安定な人ほど他人の心配をしすぎる傾向があるのですが、それは自分のぐらつきから目をそらすことができるからです。

かわいそうなのはこの人であって、自分ではない。大変そうなのはこの人であって、自分ではない。人を心配することによって自分の不安から目をそらすことができます。

激しい感情ではなく、淡い慈悲を育てる

他人の苦を見ることが思いやりのうえで重要であると申しましたが、自分が他人のことで苦しんでいるようなら、それは優しさではなく、煩悩の刺激によるものです。たとえば、親族が亡くなった時に、いつまでも嘆き悲しんでいるのは、亡くなった方を思うゆえと思われるかもしれません。けれど、いつまでも泣き続けることは、相手に起因する苦痛をいつまでも感じ続けているということであって、その「負」の波動をずっと発散し続けているわけですから、自分にとっても良くありません。

また、相手のことを思っているつもりで実際は相手ゆえに自分がネガティブになっているわけですから、亡くなった方のためにもなっていません。

ですから、亡くなってしまった方の供養に際して大切なことは、嘆くことではなく、慈しみの心を持つことです。相手のことを本当に思うなら、**慈悲の瞑想《めいそう》で「亡くなった方が穏やかであるように」と念じる**ことのほうが有益なのです。

亡くなった方が安らかでありますように、とひたすら念じ続けていると、穏やかな気持ちになってきます。ところが悲しいという感情に心が侵されていると、心が怒っ

ているので苦が生じ、身体も蝕《むしば》まれていきます。

そこにあるのは自分の悲しみだけで、「相手が良くなりますように」という観点はありません。昔その方が生きていたことにひたすら執着し、そうでない現実に「嫌だ、嫌だよう」と反発し、苦が生まれている。現実を否定しているだけなのです。

けれど、自分では亡くなった方のことを思っているからこそ悲しんでいるのだと認識していて、自分にダメージを与えつつ怒りの波を発していますから、もし亡くなった方にエネルギーが届くとしたら、それは怒りの波でしかありません。その方のためを思うというエネルギーは一切ないと申せましょう。

それは、本当の優しさではないのです。

人が本当の優しさに至るには、慈悲の念が必要です。

慈悲という概念はしばしば勘違いされていて、人のために泣いたり悲しんだりするというイメージがあるかもしれませんが、本当の慈悲はそういうものではありません。誰かのために悲しんでいる時も、自分を背後から操る煩悩の糸を見つけて断ち切ることです。感情におぼれて嘆くという、優しい「つもり」をなくしてしまうことです。すると自然とわいてくるのは相手に対する慈悲の念しかありませんから、ひたすら相手が穏やかであり続けることを念じるという行動につながるでしょう。

「優しいつもり」の自分は捨て、淡い慈悲と申すべきものを育てる。偽善的にならない分、自分も苦しむことはありませんし、相手も苦しむことがなくなります。

煩悩に操られる頻度を減らすことにより、慈悲の心が持てるようになるでしょう。

ルールを守らないと、心がマイナスを引き寄せる

仏道には、「善友《ぜんゆう》」という言葉があります。お互いの心を成長させていく、かけがえのない関係の友人ということですが、ブッダの教えというのは、必ずしも万人と仲良くしましょうといった博愛的な、偽善的なニュアンスというものはまったくありません。むしろ、ある意味もっと厳しいもので、お互いが堕落するような関係や、お互いの煩悩が増えるような関係、つき合っていて自分のグレードが落ちてしまうような相手からは距離をおくべきだと教えています。

この場合のグレードが低いというのは、つき合っていて心が汚れていくような人というう意味合いです。その基準はとてもシンプルで、一緒にいて、心が穏やかに清らか

になっていくか、それとも猛々《たけだけ》しく濁った感じになっていくか。人と共にいる時、必ずどちらか、またはそれに近い反応になるのですが、後者のような気持ちになるような人は避けなさいということです。

人間関係に限らず、仏道ではありとあらゆることがこの法則で成り立っています。行動することにしても、話すことにしても、心の中で思うことにしてもそうです。

いま話すことによって、心が穏やかになるのか、汚れるのか。この思考によって、心が穏やかになるのか、汚れるのか。

そして汚れるようなことを言いそうになったら、その言葉は遮断しなさい。汚れるようなことを考えたら、その考えは遮断しなさい。汚れるような行動をしそうになったら、その行動は遮断しなさい……というのが仏道の「戒《ルール》」であり、基準になるものです。思考と言葉と行動を律することによって、心が乱れていくのを防ぎます。

人間関係も、怒りっぽい人同士が一緒にいて、悪口や愚痴を言い合っていたら、いつまでもお互いの怒りが共鳴していき、「煩悩の増幅装置」となってしまいます。

反対に、好ましい心を持っている人とつき合っていれば、確実にその人の影響を受け、心の持ちようもそちらに近づいていきます。心の汚れが減り、心も育つのです。

これは親子であれ、師弟関係であれ、恋人であれ、同僚であれ言えることで、善友になれる時もあれば、善友になれない時もあります。必ず相手の影響を受けますから、誰とつき合うかということは、とても大事なことだと申せましょう。

ちなみに、この仏教の「戒」というものは、校則や法律とは違って強制されるものではなく、自分が自分に課すものです。守るか守らないかはその人の自由。仏道は、歩みたい人が勝手に歩めばよいのですから、去るものは追わず、来るものは拒まず、が基本です。

戒を守らなければ、刺激に翻弄されつつ煩悩が増えていって自分の心が不幸になりますから、幸せになりたいのであれば、戒を守るほうが良いでしょう、というものなのです。いわば自分の心をガードするために自分に誓うルールにすぎません。

ですから、戒を守らなくても、誰かに怒られるとか、天罰がくだるということはありません。結果的に、自分の心がマイナスのものを引き寄せるというだけなのです。

親の操り人形にせず、子どもを受容する育て方

子どもは大抵、親や先生から褒《ほ》められたり叱《しか》られたりして成長していくでしょう。しかし、その人の言う通りにしたら褒めてくれる、その人の言う通りにできなかったら叱られる、そのパターンがひたすら繰り返されますと、「この人は『言う通りになる子ども』がほしいだけで、もし自分が言う通りにしないなら、自分のことなんかいらないんじゃないかな」と感じてしまいます。親にとって自分は本当に必要なのだという基礎的な安心感が得られずに、とても寂しい気持ちになってしまうことでしょう。

褒められると自分の株価が上がって嬉しいので、子どもは褒められることを望んでいます。けれど、その背景では、「これができているから、親は褒めてくれるのだ。それができないと愛してくれないのだ」ということも、無意識にわかっています。

褒めたり叱ったりしなければ、子どもは自然にやりたいことをします。その自然の行動に対して、褒めては歪《ゆが》みを加え、叱っては歪みを加えてしまいます。子どもは、歪まされるのはどちらも嫌なのですが、拒絶されるほうがより嫌なので、褒められる方向に自分を無理やり変えていきます。けれど、自分が操り人形になっている、という

かすかな恨みも心の底に残ります。

重要なのは、結局、親が自分を操り人形にしたいだけで、自分を受容していないのだという、根本的な寂しさが残ってしまうことです。

それを和らげるためには、子どもをしっかり見守りながらも放っておくのが良いでしょう。

子どもが辛《つら》い状況だったら、どうしたのかと話を聞いてあげることが大事です。しかし、たとえば子どものテストの点に毎回喜んだり、落胆したりと、思考のノイズに乗っ取られずに、平常心を保つことです。

良い点を取ったら、むやみに褒めず、「ふーん、九〇点取ったの。ここはできたね、ここは間違っていたね」というように、子どもに対する興味は十分示しながら、単に事実を述べて、褒めたり否定したりの評価をくださない。

良くない点を取ったとしても、「この前は九〇点取ったのに、今回は六〇点なんて、浮き沈みが激しいね。波があって愉快だね」という具合に、「自分はこの点数ではなく、きみ（子ども）自身に興味があるのだよ」ということを伝えてあげると、伸び伸びと育つことができるはずです。

あなたがいてくれること自体が大切なのだ……と口ではきれいごとを言っていても、親は何かあるごとに褒めたり叱ったりして、子どもを引き裂いてしまいがちです。

親は、自分の人生でうまくいかなかったことを子どもに反映してしまいますから、自分の代わりに思い通りに育てることで、自我を満足させようとしているのです。いわば代理戦闘員とも申せましょうが、褒めて、叱って、支配しようとするのです。


幼児期は特に、受容の観点が必要です。子どもが泣き叫んでも、叱って否定しないことです。

決して甘やかしたり、放置するのではなく、「この子が穏やかでありますように」という慈悲の念を保ちながら、「大丈夫、大丈夫だよ」とギュッと抱きしめてあげる。そうした基礎的な信頼関係を言葉もわからない一～三歳のころに示しておきます。

そこで叱られてばかりだと、子どもは自分が受容されていないという潜在的な不安を持ってしまいます。注意してもきかない子どもは、親のせいでもあるわけです。

三歳ごろまでは何もわかっていませんので、少なくとも、最初から危ないものを置いておかないとか、壊してはいけないものの前にはついたてを置いておくとか、そういう配慮をしておいてあげて、最初からむやみに叱らなくても良いようにしておきます、そのうえで「あなたは私が受容しているから大丈夫」という態度をとってあげるというのが、基礎的信頼関係を作るうえで大事なことです。

そして、ある程度言葉がわかるようになってきた時に、場合によっては叱ってあげると良いでしょう。叱っても、それまでに三年間程の信頼関係の積み重ねがあるので、子どもは潜在的に、この人はむやみに自分を否定しないはずだとわかっています。叱るのは自分を否定しているのではなく、何か別の配慮があるのだなという想像が働きやすくなります。そのお膳《ぜん》立《だ》てのためにも、最初の数年はとても大切でしょう。

その後もむやみに叱ったり褒めたりしないことです。もし騒いでしょうがない子どもがいたとしたら、たとえば以下のように「交渉」するような対等の立場で臨みましょう。

「あなたが騒いでうるさくすると、仕事をしている私は嫌な思いをする。私が嫌な思いになるのはあなたが嫌いだからではなく、大きな音が聞こえてくると集中できないから。私も人間だから、嫌な気分になってしまうし、一緒に住んでいるからには、あなたも私もお互いに嫌な思いはしたくないでしょう。それでもあなたがまだ騒ぐのなら、対策を取らなくてはいけないね。

あなたが騒ぐとイライラしてしまうので、あなたは寂しい思いをするかもしれないけど、私は半日外に行って仕事をしなくてはならないかもしれない。でも、できれば私はあなたと一緒にいたいから、泣き叫ぶのはやめてくれないかな」

上から押さえつけるのでもなく、下手《したて》に出ておだてるのでもなく、単に交渉の席に着くということ。それは上司と部下でも、親子でも一緒です。説得するというのは、あくまでも合理的な選択肢を用意して、そのうち一方は、あなたにとって不利になるかもしれないが、どうするかを選ばせるということです。

男女間も「説得」によって愛を育てる

こうした「説得」が有効なのは、男女関係でも言えることです。

たとえば太った彼に痩せてほしいと思う女性がいたとします。基本的には、痩せなければ嫌いになるといった、相手の自我を刺激する言い方はよくありません。

まずは、痩せようが太ろうが、相手を好きなことには変わりないという基礎的な愛情を伝え、相手にわかってもらうことが大事です。

そして、自分はなぜ彼が太っているのが嫌なのかをじっくり考えてみましょう。

太っている人とつき合っているのが恥ずかしい、なぜなら、いま社会的には太っていることが価値が低いこととされているので、その価値の低い人間とつき合っているなんて、自分の株価が下がるという考えがあるのかもしれません。

そう自己分析してみると、分析しているうちに、そんなものに支配されている自分の価値観を見直して、別に太っていても良いかという気分になるかもしれません。

それでも嫌というなら、その分析の過程を、すべて相手に打ち明けてみることです。

「私はあなたをとても好きなはずなのに、つい社会の評価システムに自分の心が巻き込まれてしまっていて、太っている人とつき合っていることで、自分の評価やイメージが下がると思ってしまっている。そんなことは思いたくないのに、つい思ってしまって苦しい思いをしている自分がいる。それを変えたいと思わなくもないけれど、すぐには変えられないし、あなたと一緒にいることで自分が辛い思いをしたくないので、できれば、私のことを思って痩せる努力をしてくれないかな」などと、こちらの思いを素直に伝えてみると良いかもしれません。それも、そんなこと思ってしまってごめんね、という思いを込めて伝えれば、相手も話を聞きやすくなるのではないでしょうか。

一般的には、「太っていると病気になりやすいから、あなたのために良くないから」というアドバイスをすることが多いことでしょう。しかし、「病気になったって自分は別に構わない」と言い張る方もいるかもしれません。そうなると、お互いが意固地になってしまって、挙げ句に喧嘩《けんか》になってしまうかもしれません。なぜなら、相手だって結局、いつか病気になるかどうかが問題ではないことぐらい、わかっているからです。

下手に相手のためを思っているようなフリをするよりは、こちらの正直な気持ちを言ってあげると、相手も聞く耳を持つということがあるでしょう。

「降伏」する人が鍵を握る

このように、自分の心の動きを分析したうえで、自分の歪みや弱みをも率直に打ち明けてみるというのは、人を説得する時や、話を聞いてもらう際には、案外、効果的です。

自分の心をさらけ出す、自分を支配している操り糸を見せてあげる、それは言ってみれば「降伏」のようなものと申せましょうか。猫や犬が自分のお腹《なか》を見せるようなものですが、このように降伏した相手に対して、人は意固地になり続けるのは難しいものです。

誰もが、自分はそんなに嫌な人間であるわけがない、また自分の中で自分の株価を下げたくない、と思っています。というよりも、「無慚《むざん》」の煩悩や「慢」のプライドによって、そう思わされていますから、それを自分で認め、なおかつ他人にさらけ出すことには、かなり抵抗があるものです。

しかし、自分を操っている「黒幕」をきちんと分析したうえで、噓《うそ》なくすべてさらけ出すことができましたら、その効果は非常に大きなものとなるでしょう。

繰り返し述べてきましたように、心の操り糸を見つめることによって煩悩をコントロールしやすくなります。本当の姿を認知すると、変わらざるを得なくなるからです。

歩き方が崩れていることがわかると、歩き方が変わります。

話し方がおかしいことがわかると、話し方が変わります。

自分の心の歪みがわかると、心の持ちようが変わります。

「はっ」と気づき、認知することによって、人はタフに成長してゆくのです。

しかし、煩悩すべてをコントロールできるかというと、それは難しいことです。

人は嫌なことには無意識に目をつぶり、なかったことにしようとします。見たくないことは見ないのです。それが業《カルマ》の仕組みです。

その業に惑わされず、自分の中の嫌な部分をきちんと認識し、それを含めて相手にさらけ出してみるのです。

「降伏する勇気」を持つことです。誰もが負けたくない、張り合いたいと思っていますから、降伏すると負けるような気がいたします。けれど、実際には先に降伏できる人のほうが、鍵《かぎ》を握ることになります。それは、お互いがいろいろごまかし合ってもつれてしまった関係をリセットするための鍵です。

まずは、人に負けたくない、自分の歪みを見たくない、見せたくないという「慢」のプライドを捨てることです。

お互いが心を律していくことによって、親子であれ、師弟関係であれ、恋人であれ、同僚であれ、真の善友になれるかどうかが決まってくると申せましょう。それが、自らを育て、相手を育てることにつながるのです。

コラム9

眠る

コラムの最後は「眠り方」です。最近は睡眠の問題を抱える人が増えています。

厚生労働省の調査によれば、不眠に悩む人は一九・六％となっており、現代人の五人に一人が眠ることに関する悩みを抱えているようです。

眠りたいのに眠れない、というのは非常に辛《つら》いことでしょう。

そもそも、なぜ眠れないのでしょうか。

不眠症の原因に「精神的ストレス」をあげている人が多いように、思考病に陥り、脳が暴走している状態になっているからです。

しかし、その思考病は、眠れない時に限ったことではありません。仕事や食事や何か作業をしている日中は、「とりあえずやること」に気を取られて、実は心の背景で鳴り響く思考のノイズに気がついていないだけです。

いったん寝ようとして布団に入ると、他に刺激がありませんから、潜在化していて見えなかった思考のノイズが、一気に表面化してきます。思考病に陥っている人は、いつでも刺激を求めるクセがついていますので、刺激がなくなると、すぐに新しい刺激を求めて、思考に逃げ込んでしまうのです。思考の中でも、より刺激の強い心配ごとや不安、怒りなどの煩悩へ逃げ込み、そこからいろいろと思考を暴走させてしまうので、脳が興奮し、いつまでも眠ることができなくなるのです。

いま眠れない方がたくさんいるということは、いかに現代人が思考病に陥っているかということです。現代人は思考ゆえに苦しい状態に陥っていると私は考えています。

眠りたいために食物を食べてお腹《なか》を満たすという方がいます。食べるととりあえずお腹が満たされ、胃の消化に血流が回りますから、頭がぼんやりして眠くなります。

または、アルコールを摂取して麻痺《まひ》させるという方も多いでしょう。

最近は、睡眠薬を使う方も増えているようです。

意外なことですが、夜、考えごとをしたくないために、怖いホラー映画を観《み》ながら寝るという方もいます。あるいは激しい音楽を聞きながら寝るという方も知っています。これらは一見、矛盾した行為のように思われるかもしれませんが、仏道的な解釈をしてみますと、強烈な刺激によってもともとあった苦を麻痺させているので、とりあえず眠るための方法としては一応、理に適《かな》っているのかもしれません。

しかし、このように強烈な刺激で自分をごまかしてしまうと、自分が思考病にかかっていることに気がつかなくなります。

余計な思考のノイズを抑えるために、お酒や食事、薬などで意識をぼんやりさせて寝ると、とりあえず眠くなるという短期的な利益は得られますが、長期的には、胃腸や身体をおかしくするだけでなく、自分をごまかすクセもついてしまいます。

そうしたものに頼らずに眠るためには、どうしたら良いのでしょうか。


まずひとつ目のアプローチは、これまでもお勧めしてきましたように、頭の中にやってくる思考ひとつひとつを見つめ、《「〇〇」……と思っている》とカッコでくくってしまうことです。自分の感情を観察し、突き放すことです。

そして、もうひとつの方法は、慈悲の瞑想《めいそう》です。

自分に対して「慈悲」の心を持ち、念じていくことです。瞑想によりひとつのことを念じ、それに集中していき、心から好ましい感情のみを持つようにトレーニングしていくという方法です。

ずっと念じ続けるため、脳にムダな言語的な思考をする暇を与えませんし、この場合は穏やかであるように念じているので、徐々に意識がその方向へ向かっていくというメリットがあります。

念じる言葉は短いほうが集中しやすいでしょう。たとえば、慈の瞑想であれば、「安穏たらんことを」「安穏たらんことを」と唱えます。「私が安らかでありますように」でも構いません。

また悲の瞑想で、「私の苦しみがなくなりますように」とか「悩みがなくなりますように」、「苦痛がなくなりますように」でも良いのです。

自分で勝手に、思考の暴風雨によって自分を大変な目にあわせているのだと自覚し、自分を労《いたわ》る気持ちで念じていただければ、穏やかになってくるでしょう。

途中で思考の暴風雨が始まってしまったら、すぐに気づいて、念じることに戻ってくる——という練習を続けてみてください。

付言いたしますと、自らにルールを課すという観点からは、規則正しく早寝・早起きを習慣づけることが望ましいでしょう。特に夜二二時から二時までの四時間は、生体のバイオリズム上、回復と休息にとって大切な時間帯ですから、せめて日付けが変わる前に眠れるようにしたいものです。そして朝早くぱっちりと目が覚め、余計な思考のノイズが残留することなく一日を始められることこそは、仏道式生活の、何よりの贅沢《ぜいたく》と申せましょう。

第3章

対談　池谷裕二×小池龍之介

池谷裕二（いけがや・ゆうじ）氏略歴
1970年、静岡県生まれ。薬学博士。東京大学大学院薬学系研究科准教授。記憶のメカニズム解明の一端として「脳の可塑性」に注目し、精力的に論文を学会に発表する。その堅実な実験に裏打ちされた数々の革新的な研究により、文部科学大臣表彰若手科学者賞、日本薬学会奨励賞、日本薬理学会学術奨励賞、日本神経科学学会奨励賞など数多の賞を受賞。主な著書に『海馬』（糸井重里氏と共著、朝日出版社／新潮文庫）、『進化しすぎた脳』（朝日出版社／講談社ブルーバックス）、『単純な脳、複雑な私』（朝日出版社）ほか。

僧侶が
脳研究者に
聞いた
「脳と心の
不思議な関係」

脳のベースになっているのは苦痛

池谷　いきなりなんですが、少し挑発的なことをうかがっても良いですか?

小池　おや、ドキドキしますねぇ。

池谷　小池さんはこれまでのご著書で沈黙の大切さ、美しい沈黙ということを薦めていらっしゃいますよね。それを薦めていらっしゃるご本人が、たくさん著書を書いたり、多くの方に向かって雄弁に語るのは、なぜなんでしょうか?

　はじめに、小池さんの立ち位置をうかがっておきたいと思いまして(笑)。

小池　なるほど。沈黙ということについて、話さないようにしよう、ということではないんです。話す中で、心にノイズが走っているような、うるさいことをしゃべらないように、思考のノイズを沈黙させましょう、ということです。

　その話を聞くことによって相手の心が不愉快になるような話し方、あるいは、自分がそれを言った時には気持ち良いと感じていても、実は身体自身は苦しみを感じている……そういったノイズを発するような言葉の使い方をしないようにしましょう、ということなのです。

池谷　確かに「しゃべるな」とは書かれていませんね。話すことをやめるのではなく、その話し方を変える。「スティムラント(stimulant)」と私たちは言いますが、刺激になることを排除するということですね。

　今のは、表面的な「沈黙」とは違う意味だと知ったうえでの質問だったのですが、つまり、今のような皮肉な質問をすること自体を封じましょうということが含意としてあるわけなんですよね(笑)。わかります。

小池　お見事ですね。私がまず池谷さんにうかがいたいのは、昨今、脳があがめられていると いうか「脳教」という宗教が流行しているかのような風潮すらあるような気がいたします(笑)。けれど、その脳って有難いどころか、実はやっかいなものなのではないかと思うのです。

たとえば、怒って興奮して、相手に何か激しい言葉をぶつけている時、現実には心拍数が上がって、呼吸も苦しくなって明らかに身体がしんどいにもかかわらず、止められないということがあります。「苦しみ」を「快楽」だとデータ変換してしまうせいで、実際は苦しんでいるにもかかわらず、快楽という夢を見させられている。そのせいで、怒ったり嫉妬《しっと》したりして、本当は不快なはずなのに、やめられない。

しかも、本人はそれを自分で考えてやっていると思い込んでいるのですが、実際は既に潜在意識に「台本」があって、それに操られている……心にはそんな「苦を快にデータ変換する」プログラムがあるのではないかと思われます。それが私たちにストレスを与え、苦を増している。

そこで、仏道における悟りのプロセスというのは、瞑想《めいそう》で集中力を高めることによって認識レベルを細かくしてゆき、人間が本来感じている刺激は「苦しみ」の信号しかないのだと悟る。

これは、仏教では「一切皆苦」というのですが、「すべては苦痛なのだ」と認識することで、データ変換をストップして心のプログラムを組み替えることと申しても良いかと思います。

このメカニズムには、脳がデータ処理することが関わっていると思われますが、私には脳についての専門知識はありません。

もし、この心の働きに脳が関わっているとすれば、それをやっているのは、脳全体ではなく、脳の中の特定の部位なのですよね？

池谷　そういう構造かどうかは、うーん、ちょっとわからないですね（笑）。ただ、苦痛などのネガティブな感情が脳のベースになっているというお考えは、おおよそ正しいと思います。

　というのは、おそらく脳は身体性というものを重要視している臓器なのですが、脳の進化の過程を考えた時、身体と密接に関係した形で進化していると考えられるんです。

　たとえば、ミミズとかヒルなどの動物の脳は、哺乳類《ほにゅうるい》の脳より原始的で、脳のような神経節が複数あるわけです。こうした動物がどうして脳を作り上げたのかと考えると、何か効率の良いシステムとして発達させたのではないかと考えられます。外から何かの情報、触るとかにおいとか光などの情報が神経節に届いて、そこで逃げるのか、寄っていくのか、じっとしているのかといった情報決定をし、運動の形で身体にフィードバックしている。つまり身体感覚を身体運動に変換する形で脳が発達したと考えるとしっくりくるんです。

　これが進化の過程で、入力を出力に変換するかどうかの判断基準として、最初に脳に宿った価値観が、苦痛や不快感だと思われるんです。

小池　不快感というショックを与えて、「ほら苦しいだろう、嫌なら動きなさい」、という命令ですね。

池谷　そうだと思います。生命を永らえる時には快楽を追うのではなくて、危険なものから逃げるというのが、自然淘汰《とうた》のプロセスではより有用だったと思うんですね。嫌なものから逃げるとか、嫌なものに耐えるためのシステムがた

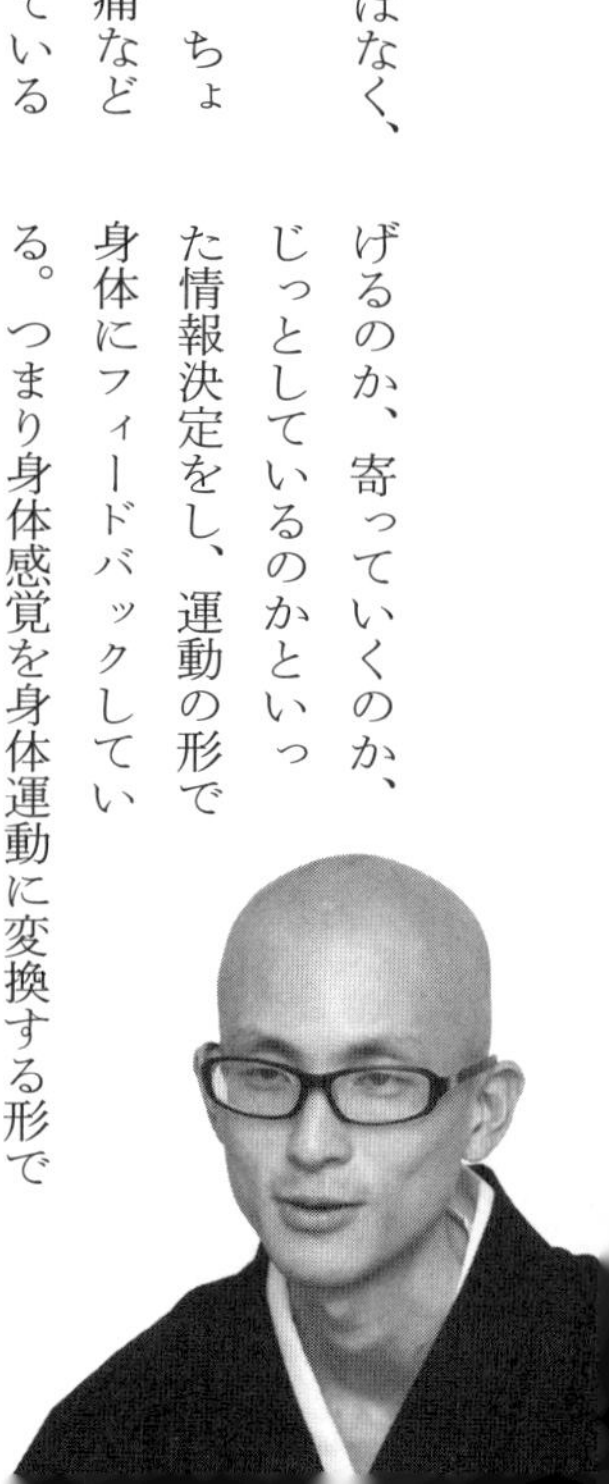

ぶん最初に完成した。

そこから発達して、小池さんがおっしゃるような、特に人において不快を快に変えるような仕組みというのは一部ではあるかもしれません。

ただ、一概にすべてがそうだと言い切れないところもあるんです。というのは、哺乳類以上の脳になってくると、快楽を感じる神経回路が実装されているんです。「報酬系」といって、個体に快の感覚を与える神経系なんですが、系統発生的には不快の回路とは独立した回路として発生している。

ですので、すべての快が不快から発していると言ってしまうと、神経発生学的には少し問題があります。おそらく脳研究では、そのように一義的に言い切ってしまうことはできなくて、複数の相反する側面が並列的に作動していると考えていかないといけないと思うんですね。

ただ、その一方で、たとえば私はビールをよく飲むんですが、あれは初めて飲んだ時には、あんなに苦いものはないですよね。コーヒーもそうです。ああいうものを好きになっていることを考えると、人が苦しみを快楽に変えるシステムを持っているとおっしゃるのは、基本的には正しいのではないかと思います。

小池　ビールは有害物質ですよね。身体がドキドキして臨戦態勢に入り、もともと気になっていたことを考えずにすみます。新しい苦を入れることで、苦しかったものを考えずにすむようになる、それを気持ち良いと思い込むのが、脳の情報処理ではないかと考えているんです。

「報酬系」という快楽装置にスイッチが入る条件も、実際はそうした複雑な条件に左右されるものではないでしょうか。「報酬系」が刺激されると「快」というデータ処理が生じますが、それは現実のものではない。
　つまり、もとの苦をさらに激しい苦で代替した時に、瞬間的に消せた分だけ気持ち良いと感じられる。けれど、それを消し終わったら、こちら自体の苦が今度は気になってきて、「ほら苦しいだろう、これを忘れるためにまた何かをしたら快楽があるよ」という命令が来て、酔っ払って人に攻撃的なことを言ったり、自分を責めたりしてしまう、というように。

池谷　自傷癖は、その最たるものでしょうね。

小池　もし快楽だけで動く生命というものがあれば幸せかもしれませんが、気持ち良いから動かなくて良いとなってしまう。苦痛が元にあってジタバタするほうが良いのかもしれませんね。

池谷　たとえば事故などで前頭葉のある部分にダメージを受けると、危機感や恐怖感が消えてしまいます。そういう患者さんを見ていると、たしかに幸せそうなんですよ。知能は正常ですし、自分が交通事故にあって心のあり様が変化したことも理解できている。「いまのほうが気持ち良いから、昔の自分に戻りたくない」とさえ言うんですね。
　でも、たとえば料理なんかはできないんです。危機感がないから、包丁で手を切ってしまいます。しかも、同じ失敗を何度も繰り返すんです。ガスコンロで火をつけたことも忘れて他のことをしてしまう。そういう基本的な生活ができないんです。
　そういう患者さんを見ていると、生物が先に苦悩を感じるようになったというのは、不幸でもあり、幸せでもあると思うんですね。

小池　苦痛が先に来ざるを得なかったんですね。

池谷　はい。生命体がそうデザインされている以上、そこをまず前提として受け入れて、そこから話を始めるべきだと思うんですよね。

小池　この諸刃《もろは》の剣をどう扱えば、より望ましい生活を送れるかということですね。

池谷　まったくその通りです。でも残念ながらそれはサイエンティストの仕事ではない（笑）。ただ私自身は、科学者よりも、一般人として生活する時間のほうがやはり長いわけですので、そんな時に考えるわけです。

人は「他人の痛み」を本当に感じている

池谷　苦痛ということでは、顔の表情について面白い論文があります。

　甘いものや苦いもの、酸っぱいものなど、さまざまな味の水溶液を舐《な》めた時に顔の表情がどう変化するかという筋電図を測ってみると、苦いものを食べた時だけ、独特の筋肉が動くんですね。これは上唇挙筋という上唇を引き上げる筋肉です。面白いのは、たぶん「苦い」というのは、原始的には毒を判断する味覚なんですね。

　それで、たとえば目の前をゴキブリが歩いていて、それを誰かが手で摑《つか》んで食べたとしたら、周りの人は「ヒィッ」ってなりますよね（笑）。

　そういう時に筋電図を測ってみたら、たぶん苦味を感じた時と同じ顔をするんです。

　つまり、「嫌悪感」というのは、おそらく苦味が元になっているのではないか。古い進化の過程で、生物は苦味を感知するための効率的なシステムを確立していて、後に嫌悪感につながった。

　この実験にはさらに続きがあって、モラルゲーム（社会的なゲーム）に関するものがあるんです。お金を分け合っていく「ウルテマ」

というゲームで、私が一〇〇〇円もらったとして、相手とそれを山分けしていきます。その配分額に納得できなければノーと拒否しても良いのですが、その時点でゲームオーバーになって、お互いにゼロになってしまいます。

たとえば、相手に二〇〇円あげて私が八〇〇円を取ろうとしたら相手は不満を唱えるかもしれませんが、そうなるとお互いに一円も取れないわけです。

合理的に考えれば、たとえ一円でももらったほうが得です。でも人間ってそんなに合理的にできていなくて、だいたい二〇〇円と八〇〇円だと、相手が拒否する可能性は約四〇%なんですね。納得できないから、相手にも一円も渡したくないと相手に罰を与える。「社会的なモラル制裁」をするんです。そしてゲーム中、「納得できない」と思った時に筋電図で測ってみると、「苦い」と感じた時と同じ表情になっているんですね。

怒りと悲しみと嫌悪感。この三つが、おおよそ私たち人間のネガティブな感情ですが、「納得できない」という感覚が相関するのは嫌悪感らしいのです。相手を拒絶したり否定する「怒り」ではないし、悲しみでもない。社会的なモラル制裁につながるのは、どうやら嫌悪感のようなんです。

つまり、われわれのモラル感を遡《さかのぼ》ってたどっていくと、動物が何かを食べて「苦い！」と感じたことから始まっているのではないか。そんなところが面白く感じるんですね。

こうした、身体性と社会性の関連という意味では、他にも面白いなと思うことがあるんです。

たとえば、自分が痛くなくても、他人が痛みを感じているのを見た時の脳を測ると、実際に痛覚系の脳回路が活動していることがわかります。

また「仲間はずれ」にされた時には切なくなって胸の辺りが痛むようなことがありますね。その状況の脳を測定してみると、やはり痛みに反応する部位と同じ領域が活動していたんです。

脳を研究していると、苦味や痛みなどの身体的なものから始まっていることを感じるんです。

小池　言語表現でも「苦い思い出」とか「胸が痛む」とか、身体を使った言葉って説明されなくてもその感覚がわかる、妙な説得力のある表現ですね。やはり人間にとって身体性というのは切り離せない、大切なものなのでしょうね。

「信じる心」が生み出す鎮静作用の不思議

池谷　最近、面白い論文が発表されたんです。プラセボ（プラシーボ、偽薬）効果の論文です。プラセボ効果というのは偽薬をそうとは知らずにのむと効く、というものですよね。人によっては痒《かゆ》みや痛みが消えたり、熱が下がったりするのですが、その時に「信じる力」がないとだめで、担当医のことを信じていなかったら、その時点でプラセボは効かないんです。また、信じられるお医者さんでも、薬の値段が高ければ高いほど効果があるんですね（笑）。

その実験では、まず腕に電気刺激を与えて痛みを与えます。そこに鎮静薬だと言って偽薬を塗ると、本当に痛くなくなるんです。その時、その人にプラセボがどう効いているのかを調べてみると、延髄の中の下行性疼痛《とうつう》抑制系という、痛みが身体を伝わって脳にいくのをブロックするシステムが活性化していることがわかったんです。

つまり錯覚ではなく、物理的にも痛みが遮断されていたんですね。実は、この効き方はモルヒネが鎮痛作用を出している時の効き方とまったく同じで、モルヒネを飲んでないのにモルヒネを飲んだかのような活動の仕方をしているんです。

その次のステップがまた面白いのですが、モルヒネの作用をブロックする薬があるんです。たとえば麻薬依存症患者に使われますが、ナロキソンという薬です。このナロキソンを投与すると、モルヒネを飲んでも効かない。不思議なことに、ナロキソンでプラセボ効果も消えてしまうんです。

ナロキソンは、単なる化学物質です。その物質世界と、信じる心という精神世界がつながってしまうんですね。

それから、ストレスについても面白い実験があって、ストレスには、精神性のストレスと身体性のストレスの二種類があります。

精神性のストレスというのは、意識のうえではっきり感じられる、口頭で自分の苦しさを説明できるストレスです。

対して、身体性のストレスというのは、意識にはのぼっていないけれど、身体では感じているというものです。その身体性ストレスの量は、今の医学では測定できるんです。

簡単にお話ししますと、身体性ストレスの多くは、副腎《ふくじん》から始まります。副腎というのは腎臓の脇《わき》です。副腎皮質がストレス成分ホルモンを放出しますが、血中にストレス性のホルモンがたくさん流れてきて、すると全身が蝕《むしば》まれていきます。つまり血中濃度を測定すると、その人がどれだけ身体性のストレス、無意識のストレスを感じているかがわかるんです。

その身体性ストレスに関する実験があります。ペンタガストリンというのは、身体性ストレスを強制的に引き起こす薬、というか毒なんです。それを点滴されるとストレス性ホルモンの量がものすごく増えます。この時に被験者の手元にボタンをおいて、このボタンを押せば、いつでも点滴が止まりますよというシチュエーションを作っておくんです。

多くのボランティアの方って、少しぐらい辛《つら》くてもボタンは押さないんですね。最後まで実験を遂行してくださるんですが、それでも、ボタンがあるというだけで、ストレス性ホルモンの上昇量が五分の一程度ですむことがわかったんです。同じ用量の薬物で身体性のストレスを与えているはずなのに、いつでも逃げられると思うと、もうそれだけで、ストレス性ホルモンの上昇量が減る。

そうすると、「ストレスを発散する」というのはどういうことだろうかと思うんですね。「こうすればストレスの元から逃げられる」という方法を持っているだけでストレスにならない、というのが面白い発見だと思ったんです。そうすると、身体性ストレスも結局、意識の問題になりますよね。

小池　辛い仕事も、明日やめられるなら今日は楽しいということですよね。科学論文でも物質世界と精神世界の接点というのが感じられて、面白いですね。

人間に自由な意志はあるのか

小池　池谷さんの著書を拝読しておりましたら、人は自分の意志で腕を動かしているつもりでも、実は、意識が動かそうと思うより前に、脳から動かすための命令が出ていて、結局、人は脳に操られているだけなのだというお話がありました。

だから、本人の意識に自由はないけれど、脳に支配されていることを認識することで拒否権が生まれる。自由意志はないけれど、自由否定はあるのだと。私はそこを読んで、感覚的にとてもフィットいたしました。

というのも、私が原始仏教の修行でやっているのは、潜在意識の中で既に決められた台本に従って反射が出てくる瞬間に、いかに早く気づくことができるか、支配される前にいかに早く気づけるかという訓練です。そのために集中力が必要になってきます。

たとえば、「イラッとしなさい」とか「緊張しなさい」という命令がハリボテの自我に与えられる前に早めに気づけば、「うわ、こんな命令がきている」と気づくことができる。じーっと集中していると、自分にダメージを与えそうな命令もあれば、良いもの、慈悲深いような命令もきます。それに気づくことができれば、良いものを採用できる。

そもそも、自分に意識の自己操縦性はないのだと気づければ、変な命令がきたら採用しない、良い命令がきたら採用するというように、少なくとも選べるようになります。そして、それを続けていると、良い命令がきやすくなってデータベースが増強される、という感じです。

池谷　そのイメージは、何となく納得できるというか、わかる部分があります。科学的な根拠が皆無なので、「良い命令がくるようになる」という大胆なことは、私は書いていないですが、ただ実際には、そうだと思うんですね。

たとえば一、二年前に、イタリアのある地方で米軍基地を拡大するという話があったんですが、当然、その時に反対意見や賛成意見がたくさん出たので住民投票をすることになったんですね。その時、心理学者が現地で実際に調べたら面白いことがわかった。

住民投票の一週間前に、「あなたは基地拡大に賛成ですか、反対ですか」というアンケートをとりました。すると一週間前だから、まだ決めていないとか、わからないという人がいた。でも、その人たちを調べてみると、一週間後に反対票を入れるか賛成票を入れるかが、その時点でもう高い確率でわかってしまうんですよ。

なぜわかるのか。いろいろ方法がありますが、最もわかりやすいのは自由連想の方法です。

たとえば「水と聞いて、あなたは何を思い浮かべますか？」と聞く。水と聞いたら海と言うかもしれません。海と聞いたら釣り、釣りと聞いたら魚、魚と聞いたらマグロ、マグロと聞いたら寿司……というように瞬間的に思い浮かべるものを次々に言っていくのが自由連想ですね。

しかし自由連想というのが、これまた不思議なもので、たとえば水と聞いて「聖徳太子」と言う人はあまりいないと思うんですよね（笑）。「自由」なはずだから水から聖徳太子に飛んでも良いはずなのに、実のところ全然自由ではなくて、飛躍できる着地点が決まってしまっているんです。水と聞いたらペットボトルと言う人も、空と言う人も、水泳と言う人もいるかもしれませんけれど、ある一定のレパートリーにしか飛べないんです。

だから「自由連想」と言うよりも「不自由連想」と言ったほうが良いのではないか（笑）。

いずれにしても、水と聞いたら何を思うかというのは「反射」ということだと思うんですけれども、脳を研究していると、われわれの行動は、基本的に反射でできていると思うんですね。

それで、ある単語を聞いたらどう反射するかを調べていくと、その人の「思考癖」がわかってきます。実は、これが答えなんです。

というのは、そのアンケートから一週間の間に、ニュースを見たり新聞を読んだり人とディスカッションしたりして、賛成か反対かを決めていくわけですが、同じニュースを見ても、「だから賛成だ」と言う人と「だから反対だ」と言う人が出てきて、それは、つまり、反射なんですね。日ごろ、どういう思考のクセを持っているかということで、そこに自由はないんです。

だから、一週間前のその人の反射のパターンを調べていくと、一週間後のその人の投票がわかる。「ほら、あなたは賛成にまわったでしょう」というのが、わかってしまうわけですね。

面白いのは、投票した後に投票所の外でもう一回「あなたはなぜ賛成したのですか?」とアンケートをとるんです。すると、皆もっともらしいことを言うんですね。こういう理由だから賛成であると。でも、面白いのは、誰一人として「ただの反射です」と思っている人はいないんです。本当は反射なのに(笑)。

ここで重要なことが、その反射パターンが何で決まってくるかというと、その人がどういう人生経験を積んできたか、どういう「来歴」かなんです。

経験をすることで来歴が書き換わるから、今度調べたら、水から氷に連想がいくかもしれません。反射のパターンが変わるわけです。

それで、先ほど小池さんがおっしゃっていた、ダメな命令をスルーして、良いものだけを選択していく経験を積んでいくと、反射のパターンとして、良いものが出る割合が多くなるというお話です。これは科学的には証明されていませんが、でも、そうでないと価値観の形成とか、モラルの形成とか、意思決定の根拠が説明できないんですよ。なので、そうなんだと推測します（笑）。

小池　あるいは、人格を組み替えていくトレーニングの根拠などもなくなりますね。

池谷　そうですね。そう考えていくと、結局、良い経験をするとか、良い環境に囲まれるとか、あるいは周りにいる人が良いと思うだけでも変わってくると思うんです。そういうことによって、脳は強化学習されていくのではないか。

　人間の行動はほとんどが脳の反射によるもので、本当は自由意志なんてないんだ、自由否定しかないんだと言うと、そのことを悲しいととらえる人がとても多くて、逆に私は衝撃を受けたんですけどね。

　反射しかないんだったら、その反射を鍛えれば良い、むしろやることが限られて良いじゃないのかなと思うんですが。

メビウスの輪＝無我の悟り

小池　おっしゃる通りだと思います。それで、仏道的にこの自由のなさを徹底的に認知して心にフィードバックしていくと、だんだん自我が崩壊していくんですね。

　きた情報に対して「これは脳の台本だ」と思ったのも台本、台本と認識したから抜け出たと考えたのも台本……というふうに繰り返しスピードを上げて見ていくと、「自我」と思い込んでいたハリボテがボディブローを浴びていって、最後にパーンと壊れる瞬間まで、ずっと嫌な気分なんです。自我が崩壊しますから。

でも、パーンと壊れた瞬間に「あ、台本に乗っ取られるなんて本当にバカバカしい」となって、自分が奴隷にされているという認識を通じて、台本を丁寧に選べるようになっていく。

結局、自分の心というものは奴隷にすぎないのだとわかると、自分を操っているものに革命を起こすことができるというのが、仏道の「無我の悟り」ということなんです。

ご著書では、自由意志はないとも言えるけれど、その裏舞台を知らなければ自由でいられる、とも書かれていますね。

池谷　そこがすごく大切だと思うんですよ。

小池　仏道では、自由のなさのいやーな感じを徹底的に見つめていくと、本当の自由にいきつくと考えているんです。メビウスの輪のように。

池谷　本当は自由はないけれど、自由を感じさせてもらっているのだとわかって生きているのと、最初から自分が自由だと盲信していて、その感覚の中だけで生きているのとは、まったく意味が違うと思うんですよ。言ってみれば、メビウスの輪を巡った経験があるかないか、ということですね。

さらに考えれば、自由を否定しているのも、それはそもそも自由なのかというところまでいってしまって、よくわからなくなりますね。ただ、そうやって一度自己崩壊させたことのある人と、ない人では、まったく違うと思います。

小池　反応様式が変わりますね。自分の裏舞台を見ながら全体図を設計する感じでしょうか。

笑いのデメリットとほほ笑みの効用

池谷　ところで、この本の中で、笑いについて書かれていましたね。笑いはいかんと（笑）。

小池　その瞬間の良しあしではなくて、長期的に見ると、どういうことが習慣づいていくか、ということを問題にしているんですね。

　ストレスがある人ほど「お笑い」が好きになるのではないかと思うのは、実は私自身、大学生ごろまでストレスが非常に激しくて、常に現実逃避をしていないとやりきれなかったんです。テレビのお笑い番組を見るのも好きだったんですが、自分がふざけたことをするとか、人をからかって笑うことが大好きだったことから実感する次第なんですが。「あははっ」と大笑いすると、とりあえず、苦しみが消えるように錯覚されますから。

池谷　実際、笑っている時の脳神経の動きは痙《けい》攣《れん》発作と似ていると言われています。確かに大笑いしている時って呼吸できないですよね。呼吸抑制の状態ですから、生物学的にはあまり良くない状況だと言えますね。

　けれど、ほほ笑みに関しては、少し違うのではないかと思っていて、先ほどから小池さんがずっと穏やかにほほ笑みながら話してくださっていてとても心地が良いんですけれども（笑）、ほほ笑むということの意味があると思うんです。

小池　ほほ笑みは、相手を承認していますよ、という受け入れのメッセージでもありますね。

池谷　ええ、社会的な意味があるわけですよね。加えて最近、自分自身に対する意味もあるのではないかということがわかってきたんです。

　ペンを口にくわえるという実験があるんです。先端を唇に入れて縦にくわえる方法と、イーッと横にくわえる方法があって、この二つの方法でペンを口にくわえながら、漫画の面白さに点数をつけるという実験です。

同じ漫画を読んでいるのに、縦にくわえて読んだ場合の漫画の面白さの平均点は四・七ぐらい。でも、横にイーッとくわえて読んだ場合の平均点は六・六ぐらいに上がるんです。

イーッと横にくわえると、口角が上に上がりますね。どうやら、その時の表情筋の使い方が笑顔と似ている。これがポイントのようです。

これは笑いではなくて笑顔ですが、このように強制的に笑顔をつくらされると、自分が見ているものが楽しく感じられるということがわかったんですね。

最近、このペンを横にくわえた時の脳の反応が調べられたんですね。すると、先ほどの話に出た快楽を感じる「報酬系」というところが活性化しているらしい。具体的にいうと、ドーパミンという物質系の神経回路が活動を始めているのではないかという根拠が得られたんです。

やはりイーッと口角を上げるだけで本当に楽しくなるのだということが、脳回路レベルでも証明されるようになってきたんですね。

小池　自分をそういう気持ちにしたい時に、そういう表情にすれば良いということですね。

池谷　そうです。その論文ではさらに面白い実験が紹介されています。大きな紙に「机」とか「コップ」とか「本」など単語をたくさん書いておきます。その中に「幸せ」とか「喜び」などのポジティブな言葉も入れておいて、ポジティブな言葉を探してくださいと言うんですね。

言葉がたくさんあるから探すのに時間がかかるんですが、ペンをイーっと横にくわえて探すと、平均的により短い時間でポジティブな言葉を探し出せるということがわかったんです。

ということは、自分が見ているものが面白くなるだけでなくて、目の前にあるものの中から、楽しく感じられることを見つけ出す「検出力」も上がるということですね。しかも、それが身体でコントロールできるというのが面白いところですよね。

小池　それがまさに仏教でいうところの「業《カルマ》」なのだと思います。たとえば、すごく集中して気持ちよく仕事をしている時には、隣の人が喧《けん》嘩《か》をしていても、その声に意識はいきませんけれど、落ち込んでいるような時は、そちらの音を優先的に捕捉《ほそく》してしまって、「ああ、うるさいな、イラつく！」と思ってしまいます。

つまり、その音があるからイラつくのではなくて、イラついているから、その音がうるさく感じられるんです。

集中している状態では、隣の人の情報に触れずにすみます。でもイライラしてくると、わざわざ隣の音に自分から触れて腹を立てたり、わざわざ嫌いな著者の本を腹を立てながら読む、とかしてしまうんですね。

池谷　外にある情報は変わらないはずなのに、それを解釈している自分の状態によって受け止め方が違ってくる。自分で無意識に情報に価値を置いていくわけですよね。これは不快な情報であるとか、あるいは気づかない情報であるとか。

脳は休むのか？

小池　ところで、この本の帯には「休脳のススメ」という言葉が使われていて、これは編集部の方が付けたものなのですが、そもそも「脳が休む」という表現はどうなんでしょうね？

池谷　脳は継続的に使っていますからね。だから、私としては、この帯はいかがなものか、と言うほかありません（笑）。ただ、先ほどの「沈黙」と同じように、脳を休めるという言葉は、違う定義で使われているんだと解釈しています。

小池　「脳を使おう」とか「休めよう」と考えても、脳を直接に操縦できるわけではないですから、本当に大切なのは脳のことなど放っておいて余計な考えを休める「休思のススメ」になるのでしょう。コピー的にはどうかと思いますが（笑）。

池谷　「DMN」、デフォルト・モード・ネットワークというものがあるんですが、休んでいる状態の脳はDMNという特殊な回路が活性化状態にあるんです。

普通の脳研究では「何か」をしている時に脳の活性がどうなっているかを調べるんです。たとえば、ある色を見た時に脳の活性がどうなっているかとか、右手を使っている時に脳の活性はどうなっているか、というように。

だけど、とある研究者が「何もしていない時」に脳の活性がどうなっているかを調べてみたんです。何もしないでボーっとしている時ですね。それでわかったのが、このDMNという回路なんです。

これ、最初は奇妙な実験だと思われていたのが、今は脳研究の中で大ブレークしていまして、もしかしたら「内観」、自分の心を自分で見つめている時の脳の活動状態ではないかと言う人もいます。でも、それはまだわからないんです。

なぜかというと、サルにもその状態があるからなんです。人間とそっくりのDMNが活性化していた。とにかくDMNは脳が休んでいるときに活動する回路というのだけはわかりました。

このDMNは本当に興味深くて、非常に秩序立った回路活動を示すんです。

アルツハイマー病の予備的診断にこのDMNの活動を調べると良いのではないかという論文もあります。結局、この「デフォルト」という状態が、いったい何なのかということなんですが。

小池　アルツハイマー病の予備的診断というお話は実感としてわかる気がいたします。

瞑想中に非常に深い集中状態に入ると、意識は明晰《めいせき》でクリアな状態なのに、夢のようなものを見ていて、かつとてもリラックスしているんですね。そして、その夢のようなものを意識化していくと、心の動きも整理されていくんです。

私の仮説なんですが、人が睡眠中に夢を見ている時もおそらく似たようなことが行われていて、いま気になっている不快な情報が、まるでシュレッダーにかけられたようにこまごましたものになっていて、それを再結合しながら整理している、整理することで不快感やストレスを軽減しようとしているように感じられるんです。

ですから、その脳が休むDMNの状態というのは、ノイズから放たれてクリアになることによって精神的に自分の中のダメージを修復している、またそれを通じて身体的にも修復しているのかなという気がいたします。

池谷　もしかしたら回復期間ということなのかもしれないですね。

集中は目的ではなく、道具にすぎない

池谷　科学は哲学に通ずると考えていますが、うかがってみると、仏教もしっかりと定義されるものがあり、汚れた解釈やウェットな感じは

入ってこない。そういう意味では、実にサイエンティフィックだなあと思います。

小池　私はいわゆる日本仏教ではなく、原始仏教系の瞑想をしていますが、日本に伝わっている禅宗系の瞑想は中国で老荘思想と混ざり、実質的には道教の影響を大きく受けたものです。

そうして変質する前の原始仏教の座禅瞑想は極めて科学的かシステマティックなものだったんですけれど。

池谷　チベット僧が瞑想している時の脳波のデータを見たことがありますが、チベット仏教の瞑想は小池さんの瞑想法とは違いますか？

小池　チベット仏教は集中系の瞑想が多く、その一部は私の行っているものと似ています。

池谷　チベット僧の瞑想中の脳波は非常に独特なんですね。強力なガンマ波を出しているんです。それも修行が長ければ長い僧ほど、ガンマ波を出すのが上手なことがわかった。

ただ現在、チベットは脳研究者を受け入れてくれなくなっています。なぜかというと、脳波を調べると、瞑想がうまいか下手かがわかってしまうんです。あるお寺のとても偉いお坊さんの脳を測ってみたら、全然瞑想できていないというのがわかってしまった（笑）。弟子たちはちゃんとガンマ波が出ているんです。

それで、これはマズイということで、いまは一切、協力してくれなくなったんです。

小池　それは愉快なお話ですね（笑）。

池谷　ガンマ波というのは一般的には何かに集中した時に出る脳波で、「何これ!?」と気をとめた時に出るんですよ。

集中するというのは、考えてみたら不思議なことで、世間では「集中することは良いことだ」と言われますね。でも、よく考えたら、他のものに注意を払わなくなっていることであって、生物学的には非常に奇妙な状況としか言いようがない。たとえば、野生の動物が歩いていて、一か所だけに集中してはダメですよね。注意はあちこちに配って散漫にしておかないと、どこから敵が近づいているかに気づけない。集中力は生命の危険ですよ。

でも、人は勉強や仕事に集中すると良い結果が出たりする。瞑想も一点集中だと思いますが、そういう不自然な状況を人工的に作り出すことができるヒトというのは、奇妙な生き物ですね。

小池 自分で外界の情報を遮断できるということですね。スーッと一点だけに集中すると、非常に安楽な感じになるんですよ。

池谷 ああ、まさにそこをうかがいたいんです。他のことをシャットアウトしているから安楽になる。安楽だから、本人は良いんだけども、それは生き物として、果たして良い状態なのか。

小池 その安楽さにも執着せず、意識を集中して消すんです。すると安楽さに執着せず、非常に気持ち良い状態も遮断できるようになる。瞑想により生まれてくる「巨大な至福感」すら消せるようになると日常で普段振り回されている小さな快・不快に浮き沈みしない揺らぎない心が育ちます。結局、いろいろな感情をコントロールしやすくなってくるということなんです。

池谷 それはすごく良いと思うんですが、あえて意地悪な見方をすれば、瞑想というのは現実逃避ではないのかという見方もできますよね。

小池 瞑想というものをいったい何のためにやっているかというと、結局、目的ではなくて道具なんです。非常に強い集中力を身につけると、自分の意識の流れが見えてきて、普段はごまかしていたけれどどこんなことを考えていたのか、心には実はこんなデータが刻み込まれていたのか、とわかってショックを感じ、自分の心が組み替わっていく。そのために集中力が必要なんです。こうやって苦や楽への執着を薄めていくと、苦境やおだてに反射的に反応することがなくなります。揺るがず、動じない平常心が手に入ります。

実は、これが道具ではなくて目的になっていた時代があります。古代ヨーガの時代、ブッダが修行時代にヨーガの仙人についてヨーガを極めたんですが、集中瞑想中にもっとも平安な境地までいって、それがゴールだと師匠に言われたんです。けれど、瞑想を解いてしまうと心が混乱して、イライラしたりする。だからこれはゴールではないと言って編み出したのが、そのパワーを用いて自己観察するということだったんです。自己観察をして、心のパターンを組み替えていくためには集中力がいる。そのための瞑想です。

池谷 集中というのは、単なる中間状態にすぎないわけですね。

小池 それに中毒化して現実逃避するクセが出てくる人は確かにいて、非常に注意しなくてはならないのですが。

池谷 それを聞いて納得です。私も疲れて現実逃避したいと思った時に浮かぶのが座禅とかの修行なんですが（笑）、それは間違った考え方ですか。

小池 そういう用い方をしてはいけないわけではありませんが、むしろ自分の現実と直面するはめになります。

仏教の修行道には「戒《かい》・定《じょう》・慧《え》」の三学というのがありまして、「戒」は仏教徒の自己ルールのことです。二番目の「定」というのは、定めて集中することです。「止観」の「止」、心を一つの対象に止めて集中する状態です。最後の「慧」は「止観」の「観」、その集中状態で自己観察して、自分に組み込まれてしまっているパターンに気づくということです。

　するとそのパターンが崩れる、という流れで自分の中のネガティブな感情を突き放していくのが修行のエッセンスなんです。

　この瞑想メソッドは身体的には苦しいことは要求されませんが、心を子細に見ていくことでショックと自己変容が起きる「人格改造プログラム」とでも申せましょうか（笑）。

池谷　なるほど。以前は瞑想などでヒトから闘争心がなくなってしまうと、社会性としてはどうなんだろう、経済的にはどうなんだろうと思っていたんですが、お話をうかがってみると、自己コントロールという意味で良いということなのですね。

小池　ええ、嫉妬心《しっとしん》に飲み込まれてしまうことも、仕事がうまくいかなかったらどうしようと混乱することも、すべて無意識の流れに操られていただけなのだと気づけば、それがパーンと消えます。心の流れに翻弄《ほんろう》されてストレスを抱えている現代人にこそ、心の律し方としての仏道のメソッドは、実生活でサバイバルしていくためにも、とても実用的なものだと思います。

池谷　今日は発見することが多くて、何だか満たされた気分です（笑）。

小池　こちらこそ、いろいろ興味深いお話をうかがえました。どうもありがとうございました。

「身体と心の操り方」早見表

「六門」のうち、主にどこを使うか

仏道では、私たちは目・耳・鼻・舌・身・意という六つの扉（六門）によって、外部からの情報を認識し、それにより視覚、聴覚、嗅覚、味覚、触覚、思考が働き、刺激が生まれる。そのように心を分析します。本書では、「話す」「聞く」「見る」……などの基本的な動作の練習を行ってまいりますが、それぞれ「六門のうち、主にどこを使うか」に自覚的になることで、効果的に練習することができるでしょう。

章タイトル	目	耳	鼻	舌	身（身体感覚）	意（意識）
1 話す ***–p.36***	**目**	**耳**	鼻	舌	**身**	**意**
2 聞く ***–p.68***	**目**	**耳**	鼻	舌	身	意
3 見る ***–p.90***	**目**	耳	鼻	舌	身	意
4 書く／読む ***–p.108***	**目**	耳	鼻	舌	身	**意**
5 食べる ***–p.130***	目	耳	鼻	**舌**	**身**	意
6 捨てる ***–p.140***	**目**	耳	鼻	舌	身	意
7 触れる ***–p.158***	目	耳	鼻	舌	**身**	意
8 育てる ***–p.168***	目	耳	鼻	舌	身	**意**

コラムタイトル	目	耳	鼻	舌	身（身体感覚）	意（意識）
①呼吸する ***–p.66***	目	耳	鼻	舌	**身**	意
②嗅ぐ ***–p.88***	目	耳	**鼻**	舌	身	意
③笑う ***–p.104***	**目**	耳	鼻	舌	**身**	意
④計画する ***–p.126***	目	耳	鼻	舌	身	**意**
⑤料理する ***–p.138***	目	耳	鼻	舌	**身**	意
⑥買う ***–p.154***	目	耳	鼻	舌	身	**意**
⑦待つ ***–p.156***	**目**	**耳**	鼻	舌	**身**	意
⑧休む／遊ぶ／逃避する ***–p.166***	目	耳	鼻	舌	**身**	意
⑨眠る ***–p.192***	目	耳	鼻	舌	**身**	意

装丁　三木俊一＋芝晶子（文京図案室）
カバー写真　佐藤克秋
撮影協力　関東バス株式会社
構成・編集　真田晴美
校正　桜井健司
ＤＴＰ　昭和ブライト

考えない練習

2010年2月14日　初版第1刷発行
2011年3月6日　初版第16刷発行

著者　小池龍之介

発行人　佐藤正治
発行所　株式会社小学館
〒101・8001
東京都千代田区一ツ橋2・3・1
電話（編集）03・3230・5806
（販売）03・5281・3555
印刷所　図書印刷株式会社
製本所　牧製本印刷株式会社

ISBN978-4-09-388106-7